CHWALU'R NYTH

a straeon eraill

Gwilym Meredith Jones

Argraffiad cyntaf—1994

ISBN 1 85902 165 4

Dymuna'r cyhoeddwyr gydnabod cymorth
Adrannau'r Cyngor Llyfrau Cymraeg.

Argraffwyd gan
J.D. Lewis a'i Feibion Cyf., Gwasg Gomer, Llandysul

i'n meibion,
Gwyn a Hugh

Cynnwys

Cerdyn Plastig Esmor Lewis

Yr oedd Esmor Lewis yn fwy na pharod i adael i Taff benderfynu pa bryd yr aent ill dau i'r parc am dro. Ambell fore fe orweddai'n ddioglyd yn y lolfa, ei ben yn esmwyth rhwng ei bawennau ac un llygad wyliadwrus yn dilyn symudiadau Esmor. Mater hawdd oedd hynny gan fod Esmor yn eistedd â'i draed ar stôl fechan, a'i drwyn yn y papur newydd. Dro arall byddai Taff yn gosod ei hun wrth ddrws y fflat, a'r tennyn yn ei geg cyn i Esmor gael cyfle i fwyta'r mwsli a'r bara cyflawn â mêl. I Esmor yr oedd y cyfuniad hapus o fwyd iach a chael ei arwain o gwmpas Parc y Gro gan Taff bob bore yn gwneud am fywyd boddhaol. Cyfle hefyd i gloma'n hamddenol drwy'r coedydd ar gyrion y parc ac aros i sgwrsio gyda hwn a'r llall. Nid oedd byw ar ei ben ei hun yn dygymod o gwbl ag Esmor.

Ail gi i Esmor oedd Taff, anrheg gan ei ferch Siân pan symudodd o'r wlad. 'Mi fydd yn gwmpeini i chi, Dad.' Fe dreuliodd Esmor a Lil bron i hanner canrif yn rhedeg busnes yn un o drefi'r arfordir, ac fel Lewis Chemist yr adwaenid ef. Dros y blynyddoedd bu ei barodrwydd i wrando ar gwynion y trefwyr, eu problemau real a dychmygol, a'i amynedd wrth eu cynghori i gymryd potel o hyn a llwyaid o'r llall yn falm o Gilead cyfoes i'w gwsmeriaid. A bu iddynt hwythau yn eu tro ddeffro ynddo yntau ei gyfrifoldeb fel lladmerydd y Gymdogaeth Dda Gristnogol yr oeddynt hwy oll yn rhan ohoni. Wel, y rhelyw, fel y gorfodid ef i gydnabod wrth ddelio ag ambell gwsmer anfoddog, barus, a gredai na ddylid talu yr un geiniog am na thabled na chapsiwl yn oes y *National 'Ealth*. A phan gyhoeddodd y Gweinidog Iechyd y byddai'n rhaid i'r henoed, o bawb, dalu am ddannedd a sbectol, fe benderfynodd Esmor ymddeol. Fe gytunai Lil ag ef, pan eisteddent yng nghysgod y *buddleia*, a Peredur y corgi Sir Benfro yn cnoi hen sliper yn ymyl, y gallai fod yr un mor gymdogol yn ei fro ar ôl ymddeol, ond y byddai ef yn mynd heibio iddynt hwy yn hytrach na'u bod hwy yn cerdded i mewn i'r siop yn sŵn y gloch ar y drws. Yn annisgwyl, bu farw Lil, ac yn fuan wedyn le laddwyd Peredur pan gythrodd ar ôl cath Nans Floyd i ganol Heol Gelli Gollen. Wedi i amser liniaru peth ar ei drallod, a llawer o ymgynghori â'i ferch a ffrindiau fe benderfynodd Esmor fynd â'i atgofion melys gydag ef i gymdogaeth newydd, ac fe brynodd fflat gysurus ar y lefel isaf yn y ddinas. A gwir a ddywedodd Siân, fe fu'r ci yn gwmni cynnes iddo.

Yr oedd yn eglur un bore o fis Medi tyner nad oedd Taff am loetran wrth ddrws y fflat, ac fe benderfynodd Esmor ildio iddo, a mynd allan cyn ei frecwast. Roedd plesio hyd yn oed y ci yn bwysig i Esmor. Yn wir, un o wendidau Esmor oedd ei orbarodrwydd i blesio pobl. Ond fel yr awgrymodd Sonia Walker braidd yn goeglyd, 'Plesio pawb, plesio neb.' Hwyrach y byddai eraill yn meddwl, ond, o barch i'r cyfaill caredig, yn amharod i'w ddweud, mai plesio ei hun yr oedd Esmor mewn gwirionedd, a bod rhyw reidrwydd arno i lenwi'r gwacter yn ei fywyd. Aeth Jos Humph, cymar dyddiau ysgol mor bell â honni mai ysgariad ei dad a'i fam oedd yn gyfrifol am yr ansicrwydd emosiynol.

Fel y cerddodd y ddau drwy fynedfa'r parc, gollyngodd Taff oddi ar y tennyn, a rhedodd at ei hoff foncyff i godi ei goes yn ddigywilydd. Un o wendidau Taff oedd yr ysfa ynddo i biso ar bob twffyn o laswellt a choeden a chlwmp o frigau o gylch y parc, fel y bydd anifeiliaid gwyllt yn diogelu eu tiriogaeth. Mewn un ystyr yr oedd Taff hefyd yn amlinellu cylchdaith gymdeithasol Esmor.

'Bore hyfryd, Mr Lewis. Ble ma' Taff?' o gyfeiriad gŵr trwm ei gerddediad yn ledio Doberman.

'Bore da, gyfaill. Helô, Fritzi.' Nid hawdd oedd cofio enwau rhai o'r cerddwyr, ond yr oedd yn bwysig gwybod enw'r ci, os oedd y sgwrs i barhau.

'Mi gafodd 'i frechiad blynyddol ddoe—swrth ydi o heddiw. Fel finne, rhyw flinder trymaidd drosta i.'

Yr oedd Esmor yn ôl wrth ei waith. 'Poen o gwbl? Methu cysgu? Mi faswn i'n cymeradwyo cwrs . . .' ac wedi mwy o fanylu a thrafod fe gytunwyd bod y cerddwr dienw yn mynd i Foyle's Pharmacy, drws nesa i'r Pizza Bar, gofyn am Mr Evans, aelod yn yr un capel ag Esmor, a byddai ef yn ymateb i gyngor Esmor Lewis. Gwahanodd y ddau ar ôl rhoi tipyn o anwes i Fritzi. Daeth Taff ar drot yn ôl at ei feistr ar ôl rhai munudau o drwyno ci dieithr wrth y pafiliwn criced, a cherddodd y ddau i gyfeiriad The Cedars, cartref i'r henoed. Ac er bod chwifio dwylo didaro iawn o'r ffenestri dwbl mewn ymateb i gyhwfan brwdfrydig Esmor, fe dwymwyd ei galon wrth resymu gymaint yr oedd ei gyfarchiad yn ei olygu iddynt. '*He's one of the walkie-doggie brigade*,' sylwodd un ohonynt. Efallai bod tinc o genfigen yn y llais.

'Tyrd, Taff. Chwifio llaw i mi ydi ysgwyd dy gynffon i ti, 'ngwas i. Wel, wel, Pinket, *girlie*. A bore da, Miss Featherstone.'

'Bore da, Mr Lewis. Hoo-ee Taff. Sglein da ar ei gôt, Mr

Lewis. Bydd rhaid i mi brynu *conditioner* i Pinkie, *Canine Curls* ydi'r gore i *poodles*, er bod Pinkie yn . . .'

Tarfwyd yn annisgwyl ar y sgwrs pan benderfynodd Pinkie ymateb i alwad natur, a gwyliwyd y weithred mewn distawrwydd sylwgar. '*Lovely*, Pinkie, ma'r *doggie poop* gen i.'

Wedi peth chwilota ffyslyd yn ei bag fe dynnodd allan raw fechan goch a brws. Gwthiodd ei chap ffwr yn ôl ar ei chorun a pharatôdd i glirio'r baw. Temtiwyd Esmor i fod yn dyst i brofiad newydd, ond . . .

'Na, na, Miss Featherstone, gadewch i mi,' meddai gan gipio'r offer o'i llaw. Heb ystyried goblygiadau'r broses o sgwpio'r baw ar y rhaw, aeth ati yn egnïol gyda'r brws, a glaniodd talp o ysgarthiad Pinkie ar lawes anorac werdd newydd Esmor. Nid annaturiol felly oedd i'r geiriau, 'bygro rhyw lol fel hyn,' lithro drwy ei ddannedd, a tholcio peth ar frwdfrydedd y dyn parod. Ond pan sythodd, fe ailafaelodd yn ei wên gynnes, gan gadw'r rhaw o fewn hyd braich. Gwenu'n edmygus yr oedd Miss Featherstone hefyd, a chwdyn o blastig cegagored yn ei llaw. Yn ddiseremoni fe wthiodd Esmor y cynnwys i'r bag a gollyngodd y rhaw, nid yn gwbl ddamweiniol, ar gefn Pinkie. Astudiwyd y cynnwys yn ofalus ganddi cyn cuddio'r cwbl mewn amlen frown. Gwobrwywyd Pinkie â bisgeden, a rhoddwyd un i Esmor i'w throsglwyddo i Taff a oedd, fel y gwelodd Esmor o gornel ei lygad, yn gwacáu ei hun ar y llwybr. Gwridodd.

'Diolch, Mr . . . m . . . Lewis, 'ntê? Ma' Pinkie yn *prone* i *worms*. Ond mae'n bwysig ein bod yn diogelu'r amgylchfyd. Rydw i'n perthyn i'r *Greens*. Malwen a morfil, pob un â hawl i fyw, *don't you think so*, Mr Lewis?' Fe'i temtiwyd i daro'r cap ffwr oddi ar ei phen. Trodd ar ei sawdl a cherddodd ymlaen mewn ymgais i ddileu'r dicter a deimlai. Profiad anarferol i Esmor, a byr oedd ei sgwrs â Les a Mot; y wraig mewn tracsiwt biws a'i Dalmation ffroenuchel, a Galwch-fi'n-Jo yn mynd un ffordd a Jacon yn tynnu'r ffordd arall. Dychwelodd i'r fflat heb fod yn ei hwyliau gorau. Ni chafodd fawr o flas ar y mwsli, a chymerwyd mwy o amser i lanhau llawes ei anorac gyda *meths* nag a dybiodd. O leiaf nid oedd raid iddo siafio, min nos y byddai'n seboni ei wyneb, wrth hymian yn ddi-diwn. Fel yr ymddiriedodd wrth Lil un tro, 'Rhag ofn i mi farw yn fy nghwsg—fe arbedith drafferth i rywun.'

Ar ôl cip hwy nag arfer ar y papur, ac adolygu stoc ei rewgell, fe aeth allan i'r pwt o ardd o flaen y ffenestr fwa. Yr oedd corff yswidw ar y patio, a phrysurodd i roi'r bai ar y piod i leddfu'r anesmwythyd a'i blinai. Sylwodd fod mwsogl a dant y llew yn cripian i gyfeiriad y gwely rhosod. Tynnodd ar ei wynt yn wyllt a phrysurodd yn ôl i'r tŷ. A phrin bod gweld Taff yn gorwedd o flaen y gwresogydd a'i draed yn yr awyr yn tawelu'r cynnwrf dieithr. Ceisiodd ddarbwyllo ei hun i gymryd dwy Semidon (5ml) neu gapsiwl Jauntex. Cyfaddawdodd â dwy Wilcot mewn dŵr cynnes. Gwnaeth ei hun yn gyfforddus ar y soffa i fyfyrio.

Yn sgil y Wilcot llifodd atgofion yn ôl am y seiadu a'r cyfrinachu oddeutu'r cownter yn y fferyllfa. Daeth ei wên yn ôl wrth iddo sylweddoli, ond nid am y tro cyntaf, mai'r botel oedd y ddolen gydiol rhyngddo a'i gwsmeriaid. Mor ddoniol oedd arferiad rhai pryderus, o ysgwyd y blwch neu'r botel i sicrhau eu hunain bod yna feddyginiaeth yn eu dwylo!

'Does dim mwy doniol—ac od—na phobl, Taff,' yn gyfrinachol.

Moelodd ei glustiau'n holgar a throdd ei lygaid i gyfeiriad y tennyn ar ben y teledu. Wel, ia, myfyriodd Esmor, mae'r tennyn hefyd wedi datblygu'n ddolen gydiol rhyngof a phobl y cŵn. Gyda sioncrwydd ffres, gadawodd y soffa a dychwelodd gyda'i waled. Arllwysodd y cynnwys ar ei lin. Taflen yswiriant y car, arian papur, rhif ffôn y ffariar ar gefn tocyn theatr, derbynneb Switch am betrol, cerdyn Access a'r Cerdyn Ymweld. Gafaelodd yn dynn yn yr olaf a syllodd ar ei lun o dan y geiriau *Lay Visitor*. Biti na fase'r Awdurdod yn dangos mwy o gefnogaeth i'r Gymraeg, 'Ymwelydd Lleyg', er mai esgus oedd hynny i dynnu ei sylw oddi ar y llun.

'Taff, 'drycha, *Wanted for murder*,' a'i hwyliau arferol yn cynhesu'n gyflym. 'Ymweliad amdani, Taff. Rhaid i mi neud i fyny am styrbans bore heddiw. Na, aros, Taff.' O fewn munudau yr oedd Esmor ar ei ffordd yn y Volvo glas, ac anelodd am un o orsafoedd yr heddlu yn Adran C o'r ddinas. Heibio i ffatri Hoover, drwy'r stad ddiwydiannol cyn troi i stryd o hen dai teras uwchben y dociau. Parciodd y car y tu allan i Orsaf Cotton Street, hen adeilad o frics cochddu. Edrychodd eilwaith ar y garden, y llun doniol, a llofnod y Prif Gwnstabl; llofnod a roddai i Esmor ac eraill o'r tîm, yr hawl i ymweld â rhai o orsafoedd yr heddlu, yn ddirybudd, unrhyw adeg o'r dydd neu'r nos. Nid i oruchwylio dyletswyddau'r heddlu, ond i ddiogelu lles a chyflwr y rhai yn y celloedd. Swyddogaeth wirfoddol a apeliai at Esmor. Cyn gadael y car, gadawodd y tei coch ar y sedd gefn—ymddangos yn anffurfiol a chyfeillgar oedd y gyfrinach. Yn hamddenol cerddodd i'r cyntedd lle'r eisteddai nifer o bobl, rhai yn bryderus, eraill yn gwbl ddifater wrthi'n smocio ac yn astudio'r dudalen rasio. Dod wyneb yn wyneb â'r Awdurdodau, y Sefydliad, yr iwnifform oedd y prawf mwyaf poenus. Profiad Esmor oedd mai'r rhai pryderus yr olwg oedd â lleiaf o reswm dros boeni. A'r hen *lags* yn malio'r un dam. Aeth at y ddesg.

'Bore da, Sarj,' wrth wthio'r garden i law'r cwnstabl ifanc, a nodi'r rhyddhad yn ei wyneb pan sylweddolodd nad un arall yn llawn o gŵyn neu gyhuddiad oedd hwn. Roedd Esmor yn ddiplomydd, fe roddai'r dyrchafiad annisgwyl hyder i'r cwnstabl. Syllodd y swyddog yn amheus o'r darlun i'r wyneb, ac Esmor yn gwneud ei orau glas i gadw wyneb syth. Bodlonwyd ef ac agorwyd y drws a arweiniai i'r ddalfa a'r swyddfeydd. Clowyd y drws ac eisteddodd Esmor ar gyrion y celloedd. Yr oedd awyrgylch glawstroffobig y ddalfa bob amser yn gwasgu arno, amheuon, ansicrwydd, bygythiad, sibrydion swyddfa, allweddau'n tincial a'r aros diamser.

'Ma'r *Custody Officer* mewn *interview* ar y funud, Syr, ond fe lenwa i'r *form* yn barod i chi,' wrth arwain Esmor i swyddfa brysur. A barnu wrth y tomenni o bapurau, ffurflenni, ffotostatiau, llyfrynnau a ffeiliau a reolai'r ystafell, amheuai Esmor a oedd gan y swyddogion amser i fynd allan i'r dref. Dychwelodd Esmor i'w sedd i aros. Edrychodd o gwmpas ar y cymhlethdod o goridorau a'r grid unllygeidiog ym mhob drws. Ar hysbysfwrdd melamin yr oedd manylion am breswyliwr pob cell, cyfenw, rhif a disgrifiad cryptig o'i drosedd. Ond nid oedd holi a stilio am drosedd yn rhan o'i genhadaeth, er y medrai ddehongli'r gybolfa o symbolau. Yr un mor ddirgel oedd pentwr o gyfarwyddiadau i'r heddlu ar ddiogelwch, ymddygiad, arestio a chwilio.

'Reit, Syr. Fi ydi'r Swyddog Cadwraeth heddiw—Williams,' mewn llais bywiog. 'Chwech i mewn, dilynwch fi.' Dadfachodd glwm o oriadau a llithrodd grid y gell gyntaf i un ochr. Arwyddodd ar i Esmor symud o olwg perchennog y gell, ond nid y tu hwnt i glyw y swyddog.

'Gwrandewch,' drwy'r agoriad. 'Mae ymwelydd o'r cyhoedd yma i'ch gweld. Does a wnelo fo ddim â'r heddlu. Wedi galw i gael gair ac i sicrhau eich bod yn cael chwarae teg. Dech chi am 'i weld?'

'O.K.' Llais merch. Arwyddwyd ffurflen gan y ferch ac aeth y rhingyll i ymorol am wraig i fynd i'r gell gydag Esmor yn ôl y rheolau. Yna symudodd y rhingyll draw oddi wrth y drws.

'Helô, jest galw,' yn dawel.

Lled-orweddai merch ifanc ar y gwely pren, un flanced drosti, a mop o wallt lliw o botel dros un llygad. Yng ngwacter y gell yr oedd sŵn diferu yn y toiled fel curiad drwm.

'I be?' a'i llygaid powld yn heriol.

'Rhag ofn eich bod eisiau . . .'

'Trwsio'r blydi tap—fel niwmatig dril drwy'r nos—a mae'n oer yma.'

'Mi ga' i air gyda'r rhingyll, mae'ch cysur chi . . .' ond chwalwyd ei eiriau cymodlon gan ei llais coeglyd hi,

'Os na leici di ddod i 'nghadw i'n gynnes, mêt. Tydw i ddim mor solet â'r blydi gwely 'ma. Mi faswn i'n gneud matras iawn i ti.'

O gornel ei lygad sylwodd Esmor ar ymdrech y blismones i atal chwerthin.

Pesychodd i glirio ei wddf, 'Cyfrifoldeb y . . .'

'Byger off,' a chladdodd ei hun o dan y flanced.

Roedd y rhingyll yn aros amdano. 'Does dim angen awgrymu ei throsedd hi—*tough cookie* ydi honne.'

Roedd pâr o esgidiau y tu allan i'r gell nesaf.

'Hei, mae yma ymwelydd . . . Wâst o amser, Syr, mae o'n chwil gaib. Edrychwch drosoch eich hun. Tuag ugain oed—pla ein hoes, y cwrw.' Sbiodd Esmor drwy'r drws bach. Roedd wedi llithro oddi ar y gwely isel a gedwir ar gyfer y meddwyn, a gorweddai yng nghanol ei chwydfa. Ei draed wedi dryllio plât plastig a chwalu'r bwyd dros y llawr. Blanced yn domen ar y gwely. Camodd yn ôl oddi wrth y drws, roedd y drewdod yn anhygoel. 'Yn ei gyflwr o, oes ene berig iddo rynnu?'

Brysiodd y rhingyll i ystafell gerllaw a dychwelodd gyda blanced lân a'i thaflu hi dros ysgwyddau'r llanc cyn ei droi ar ei ochr. Na, meddyliodd Esmor, tydi gwaith y polîs ddim yn hawdd yn yr oes sy ohoni.

'Ah! hogyn o dan oed, *juvenile*, sy'n y gell hon—rhaid i ni gael caniatâd ei fam cyn i chi ei weld. Ma' hi yn y cyntedd.' Galwyd hi at y ddau, ac esboniodd y rhingyll pwy oedd Esmor, a bod rhaid cael ei chaniatâd. Edrychodd arno'n haerllug, tymplen mewn tracsiwt, cyrlars a bag ysgwydd enfawr ar ei phennau gliniau.

'Ma'r sgyffars yn gwrthod iddo fo gael sigi.'

'Mae o yn rhy ifanc, Mrs Murphy, o dan oed.'

'Y cr'adur bach yn torri'i galon yn y twll ene, a dim hyd yn oed sigi i'w dawelu fo.' Taniodd un ei hun i bwysleisio'r angen.

Penderfynodd Esmor dynnu ar ei ddawn fel cymodwr. 'Fel ymwelydd profiadol, Mrs Murphy, mi ofala i . . .'

'A phwy ydech chi felly? Oes gennoch chi brofiad fel finna o fagu tri o hogia heb dad, eu bwydo a'u dilladu nhw ar ben fy hun, mynychu'r offeren bob Sul, Clwb i'w dalu bob dydd Iau . . . oes gennoch chi?' gan roi hergwd iach i Esmor.

'Tydi hynny ddim . . .' yn amddiffynnol.

'O, nagoes,' gan ateb ei chwestiwn ei hun a stwbio'r sigarét ar ddesg y rhingyll. 'Ddim hefo mwstas a siwt grand fel hon (hergwd arall), dim mwy o syniad nag sy gan dwrch daear am yr haul, fel y bydde Nain Kilkenny yn deud.'

Cymerodd y rhingyll gam yn ôl i fwynhau'r perfformans. Rhoddodd Mrs Murphy ei phwys ar y ddesg, a chwiliodd Esmor yn ffwndrus am ddihangfa. 'Os ydi'r mab wedi colli 'i dad, rydw i'n deall eich . . .'

'Ei golli o—pwy soniodd a fynte'n byw fel lord yn *Strangeways*,' chwyddodd o flaen Esmor. 'Pwy all feio mab sy'n hiraethu am 'i dad am fenthyca beic hogyn lawr stryd? A dim hyd yn oed sigi iddo fo. Reit, cerwch i'w weld o a sleifiwch hon i'w boced o,' gan ymdrechu i guddio sigarét yn llawes Esmor.

Heb ddweud gair estynnodd y rhingyll ei law allan, cyn arwain Esmor i'r gell. Yr oedd Conor wedi cyrlio ei hun i fyny ar y gwely, blanced dros ei ysgwydd, cwpan plastig yn un llaw a chomic yn y llall.

'Hi, Conor. O.K., Buster,' gan glapio ei ddwylo a siglo o un goes i'r llall o dan yr argraff mai dyna a olygid wrth *with it* yr oes. Edrychodd yr hogyn yn wirion.

'Hi, 'sgennot ti sigi?' heb dynnu ei lygaid oddi ar y comic.

'Na, ti'n rhy ifanc. O.K.? Stori dda?'

'Yea, *Robot Mercury*.'

'Wedi cael llymed?'

'*Yea*.'

'Wyt ti'n gynnes?'

'*Yea.*' Lluchiodd y cwpan i'r gornel.

'Mae dy fam yn y cyntedd.'

'*Yea*, dwed wrthi am fynd adre i fideo *The Croonin' Monsters* i fi.'

'Rhywbeth yr hoffet i mi . . .'

'*Yea*, hopia adre, *Boss*. Comic grêt 'di hwn.'

Clowyd y drws, ac arweiniodd y rhingyll ef at y gell agosaf. Yr oedd sŵn y chwerthin croch o'r gell yn ymestyn i lawr y coridor.

'Efeilliaid ydi'r rhain. Reit, hogia.' A'i drwyn yn y gril, aeth drwy'r datganiad fel parot. Eiliad o ddistawrwydd cyn ffrwydrad arall o chwerthin a dyrnu'r gwely â'u dwylo. Dilynwyd hyn gan orlifiad dŵr yn y toiled. A mwy o sgrechian,

'Dyna'r ateb Sarj—os nad oes ganddo *fix* i ni.'

Llithrodd y rhingyll y gril ar gau yn wyllt. 'Wn i ddim pam eich bod chi'n gwastraffu'ch amser ar y diawliaid, Syr. Un arall, os nad ydech chi wedi cael llond bol.'

Temtiwyd Esmor i gytuno ag ef a rhoi'r ffidil yn y to, ond nid oedd yn barod i un ymweliad bylu ei gyfrifoldeb cymdeithasol.

Wedi i'r llais oddi mewn gytuno, aeth Esmor i'r gell. Ar ganol y llawr fe safai gŵr croenddu, ei wallt hir wedi ei gyrlio a'i glymu yn null y *Rastafarian*. Gwisgai gap mawr lliwgar, côt swêd, llodrau ysgafn a threinars. Fe berthynai iddo urddas tawel. Yr oedd y gell yn lân a thaclus, y flanced wedi ei phlygu, llyfr yn y gornel, a phlât o blastig wedi ei lanhau ar ymyl y gwely.

'Sut hwyl, galw rhag ofn . . .' yn ffurfiol, heb fod yn sicr sut i fynd ymlaen. Ei lonyddwch yn aflonyddu ar Esmor.

'Mi faswn i'n gwerthfawrogi sigarét.'

Bron nad oedd y cais yn bychanu Esmor oherwydd ei ddiofalwch na fyddai wedi rhag-weld anghenion y gŵr llonydd.

'Ma'n ddrwg gen i, tydw i ddim yn smocio,' fel pe'n ymddiheuro am ei wendidau. Syrthiodd ar ei sodlau a llithrodd i'r coridor. Heb ddweud gair estynnwyd sigarét iddo gan y rhingyll.

'Diolch,' ac wedi iddo ei thanio, pwyntiodd ei fys at ymyl y gwely.

'Popeth yn iawn, diolch. Ydi'r teulu wedi cael gwybod?'

'Fe safa inne felly. Mae'r rhingyll wedi ffonio'r Siop Fetio sy drws nesa i'n tŷ ni.' Ei lais yn oer ond yn gwrtais.

'Angen twrne?'

'Heb wneud cais eto—rhaid meddwl mwy.'

'Digon cynnes?' yn teimlo ei hun yn dechrau ymlacio.

'Ydw. Mae gen i wendid ar fy sgyfaint.'

'Hoffech i mi drefnu i chi weld meddyg?'

'Na, diolch. Gobeithio bod Lusara wedi mynd i gyfarfod fy merch Orina o'r ysgol. Saith oed.'

'Hoffech chi i mi . . .'

'Dim diolch. Pwy ydech chi?'

Oerodd y gell yn sydyn. Nid oedd Esmor yn siŵr ai cwestiwn neu gyhuddiad oedd yn ei lygad.

'Neb arbennig, un o'r cyhoedd. Treio dangos f'ochr i rai mewn . . .'

'Ond pam fi? Dydw i ddim yn golygu dim i chi. Fi sy'n wynebu'r broblem—a'r cyhuddiad. Ddaru mi ddim gofyn am eich cefnogaeth. Efalle mai rhoi boddhad i chi eich hun dach chi wrth gynnig.'

Yna trodd ar ei sawdl, cymerodd y llyfr yn ei law cyn eistedd ar y gwely. Agorodd y llyfr a dechreuodd ddarllen.

Dychwelodd Esmor gyda'r rhingyll at y ddesg. Gwrthododd y cynnig i gael cip ar y daflen gyhuddiadau. Ysgrifennodd ei adroddiad a'i sylwadau ar y ffurflen binc heb lawer o syniad beth a ddywedodd.

'Diolch, Sarj, tan y tro nesa, os . . .' ond brathodd ei eiriau. Aeth i'r cyntedd. Yno roedd hi gyda'i ffrindiau. 'Hwn ydi o, dim digon o gyts i roi sigi i Conor ni.' Roedd eu myngial sbeitlyd yn ei frifo. Brysiodd adref yn flin a neidiodd i'r baddon i ymlacio. Gwnaeth adduned i gario paced o sigarennau o hyn ymlaen os . . . Wrth gwrs y byddai'n galw eto. Nid un i osgoi ei ymrwymiad oedd Esmor Lewis.

Bwydodd Taff a gwnaeth baned o goffi iddo ei hun. Trodd y teledu ymlaen—*Neighbours*! Trodd ef i ffwrdd ar unwaith.

'Tyrd, Taff, mi awn ni am dipyn o awyr iach i'r parc.'

Linor

Wrth orwedd rhwng cwsg ac effro o dan y dwfe pinc, pendronai Linor ai bore dydd Mawrth neu fore dydd Mercher oedd hi. Gohiriodd wneud penderfyniad drwy wrando ar y fronfraith a'r swidw yn cyfarch haul gwanwyn cynnar. Ni roddai dim fwy o bleser iddi na gwrando ar Gôr y Wig, fel y byddai Taid Rhyd Gam yn dweud, ac yr oedd gwylio'r cywion cegagored yn erfyn am bryfetach dros ymyl nyth yn bodloni ei chariad at adar.

O blygion clustog y gwely tynnodd allan ddraenog a rhedodd ei bysedd yn ysgafn dros ei bigynnau neilon. 'Plîs, Drog, paid â deud mai dydd Mawrth ydi hi. Fedra i ddim wynebu dwyawr arall o Meg Froom yn drwlian dros ddehongliad Meilir Ffowc a'i griw o ddyheadau'r Gymru gyfoes. *Dead boring*!' Cododd ar ei heistedd a daliodd Drog o led braich.

'Grêt, Drog, mi wela i ddydd Mercher yn dy lygaid di! Pnawn cyfan o arlunio hefo Sable Morgan. Dos â dy drwyn bach busneslyd hefo ti o dan y dwfe 'ma.'

Neidiodd Linor yn nwyfus o'r gwely a thaflodd ei gwisg nos yn ddiofal ar y carped. Arhosodd o flaen y drych a meddyliodd mai dim ond Duw ifanc, dychmygus a allai greu corff mor osgeiddig ar gyfer ei Gread. Ac Efa oedd ei gampwaith cyntaf, nid Adda. Glynodd yn ei gwên gynnes wrth blygu glin ger ei gwely.

'Diolch i Ti, Gerfluniwr dawnus ein bydysawd, am fowldio cyrff mor ecseitin ar gyfer dy bobl. Plîs, gad i mi neud y gorau ohono, i gadw ei siâp a'i lendid. Diolch i Ti bod gen i un dalent. Rydw i'n edrych ymlaen at heddiw. Amen.'

Dewisodd ei gwisg yn ofalus, llithrodd ei thraed i bâr o esgidiau gwyrddion, gwasgarodd ei gwallt dros ei hysgwyddau a dabiodd y mymryn lleiaf o liw ar ei hwyneb. Munudau i'w mwynhau oeddynt. Yn sydyn tarfwyd ar ei phleser gan ffrae o'r stafell frecwast a sŵn plât yn torri. Ochneidiodd Linor yn drist wrth agor drws ei llofft.

'. . . mor ddigychwyn â'r gath 'ma. Dod i lawr yn y dresin gown hyll 'ne, eich gwallt fel mop, a dim sôn am na thost na . . .'

'Ond, Mei bach, mae'n . . .'

'Ond . . . ond . . . esgus bob amser! Ma' gen i fusnes i'w redeg.'

'Ac ma' gen inne gryn boen yn fy nghefn, fel y gwyddoch, Mei, a tydw i . . .'

'. . . ddim ar fy ngore ben bore—fel tiwn gron, Ceinwen. A tydi o'n poeni dim arnoch os yr af i'r siop ar stumog wag, a gorfod wynebu rhai fel Miss Flower yn cwyno bod ei *Woman's World* heb gyrraedd.'

'Wel, waeth iddi ddianc i'r byd hwnnw ddim, wnelo hynny o gynhesrwydd sy i'w gael ym myd llawer i ddyn.'

O ben y grisiau gwrandawodd Linor yn drist, ei chalon yn curo dros ei mam, ond yn edmygu ei safiad annisgwyl yn erbyn Mei, ei thad.

'Y chi a'ch jeibs chwerthinllyd,' cyn gosod ei hun yn bwysig o flaen y plât gwag, ac amgylchynu ei hun â'r halen, y pupur a'r marmalêd. Tase chi'n darllen llai o'r nonsens Cymraeg 'ma a dangos mwy o ddychymyg wrth baratoi bwyd, yn lle dychmygu'r salwch gwirion . . .'

Clapiodd Linor ei dwylo dros ei chlustiau a llamodd i

lawr y grisiau. Prin y gallai reoli ei thymer wrth sefyll yn yr alcof frecwasta.

'Nhad, rhag eich cywilydd chi, yn trin Mam mor ddideimlad. Ma'n syndod gen i bod gennoch chi gwsmer o gwbl, os mai fel'na dech chi'n eu cyfarch nhw.'

'Linor, paid â . . .' ond boddwyd llais mwyn ei mam gan grechwen ei thad.

'O! mae Madame wedi codi ac fel arfer yn ochri â'i mam, heb air na gwên i'w thad sy'n sicrhau bod ganddi yr *outfits* diweddara i fynd i jolihoitian i'r ysgol. Bore da, *Miss Next*.' Chwarddodd yn frwnt drwy ddannedd melyn.

Tarfwyd ar eu hanghysur gan dincial main y berwr ŵy, a gwyliodd y ddwy y golofn o ager yn cael ei anweddu gan awyrgylch oer y stafell. Brysiodd Ceinwen yn nerfus i ddadlwytho'r wy, ond rhowliodd oddi ar y llwy i ymyl y bwrdd a huliwyd siwt Mei â melynwy.

'Blydi hel!' bloeddiodd wrth neidio ar ei draed a hoelio ei fileindra ar y ddwy. 'Y siwt orau sy gen i! Cwsmeriaid yn disgwyl . . .'

'Jest fel chi, Dad, mwy o barch i'ch siopwrs nag i Mam. Ond tydi siwt smart ddim yn cuddio calon fudr fel un chi, Dad. Be fydde Taid Rhyd Gam yn ddeud Mam? "Angel penffordd a diafol pen pentan." Dyna chi, Dad! Cerwch i benffordd, Dad, at eich mêts.'

Yr oedd mileindra Linor yn brofiad newydd i'w mam wrth iddi chwifio lliain yn ofnus o gwmpas ei gŵr.

'Cerwch o'm golwg, ddynes,' a hergwd iddi wrth gythru allan o'r stafell a sathru'r plisgyn i'r carped.

'Linor, ddyliet ti ddim . . .'

'Mam, nid plentyn ydw i, ac nid morwyn ydech chi,' drwy byliau o chwerthin a drodd yn wylo distaw wrth iddi gofleidio'i mam. 'Mam, rydw i'n falch eich bod chi wedi dal ato fo am unwaith. Dim ond trwy frifo rhywun mae Dad yn medru credu ynddo fo'i hun. Mi gym'rwn ni baned cyn i mi fynd.'

Gosododd Linor baned a *croissant* o flaen ei mam, ac eisteddai yn ei chwman cyn tywallt ychydig o fwsli i fowlen. Gwyrodd ei phen yn dawel,

'Rho dy fendith, Ein Tad, ar y rhoddion hyn. Byddwn lawen. Amen.'

Yr oedd y tawelwch yn eu closio at ei gilydd. Pan gofiodd Linor mai dydd Mercher ydoedd, dychwelodd ei nwyf arferol. Sibrydodd yng nghlust ei mam, 'Diwrnod gorau'r wythnos, Mam. Pnawn llawn yn y stiwdio gelf—creu, dychmygu, rhoi paent ar gynfas. Cyfanwaith i'w ddehongli gan y . . . wel, gan y criw Lefel A arlunio.'

'Linor fach, wn i ddim am be wyt ti'n sôn. Pwy fedr neud bywoliaeth hefo brws paent a thipyn o gynfas?' heb arlliw o frwdfrydedd yn ei llais.

'Un diwrnod, Mam—*Arddangosfa gyntaf Linor Puw yn Oriel Camwy*. Codwch eich calon, Mam bach. Rhaid i mi fynd.'

Ffliciodd gusan o flaenau ei bysedd, cipiodd ei bag a brysiodd allan i lenwi ei hysgyfaint yn fwriadus ag awyr gwanwynol. Plygodd i edmygu a rhedeg ei bysedd dros wyndra'r eirlysiau. A'i gwynt yn ei dwrn brysiodd i fyny i lawr uchaf Ysgol Gyfun Rhyd Gwyros, ac ymunodd â chriw swnllyd a eisteddai'n flêr o gwmpas y stiwdio, a'i ffenestri mawrion yn rhwydo ysgafnder y goleuni.

'Hi, Lin. Ddaru ti joio ddoe?' Men yn holgar fel arfer.

'Roedd medru edmygu Y Fenws binc mewn Oriel mor ffab, yn gneud i fyny am y siwrne hir i Lerpwl—Fenws wedi ei cherfio gan un ohonom ni, Men.'

Syllodd Men yn edmygus ar Linor. Roedd ei brwdfrydedd yn heintus. 'Dwed wrtha i, Lin,' gan wneud lle iddi ar ymyl y gadair. 'Sori 'mod i'n methu dod—meigrein, fel arfer. Ni? Pa ni?'

Yr oedd ysgafnder llygaid Lin, a'i disgrifio dramatig yn tynnu sylw'r lleill. Cyril Fletch oedd y cyntaf i ymateb.

'*Tell all*, gel. Dwi'n gorfod mynd ar *computer course* hefo Biff.'

'Fenws o farmor pinc—mewn Oriel fendigedig—gwaith un ohonom Ni,' gan daflu ei breichiau ar led yn fyrbwyll. 'Cymro, John Gibson, hogyn o'r wlad wedi creu un o gerfluniau hardda'r byd—ganed yng Nghonwy.'

'*Never 'eard of 'im, Lin. Pinky Venus emulsion.*'

Trodd Lin arno'n ffyrnig, 'Sut yffar wyt ti, Fletch, yn un o griw'r Chweched Dosbarth sy'n anelu am Lefel A mewn arlunio? *Aerosol* yn *Gents* cae ffwtbol ydi dy lein di, boio.'

Yr oedd gwylltineb Linor mor ddieithr i bawb fel na fedrent ymollwng i'w chwerthin byrlymus arferol. Cerddodd Ceinwen Morgan i mewn.

'Bore da, bawb. Ma'r distawrwydd rhyfedd 'ma yn codi cur pen arna i,' gan godi ei haeliau'n ogleisiol. Tawedog oedd eu hymateb a thaflwyd golygon awgrymog i gyfeiriad Linor. I roi cyfle iddynt lunio ateb a fyddai'n ei phlesio, chwalodd gynnwys ei ffolio dros y bwrdd gwaith, a llanwodd ei hysgyfaint yn araf ag arogleuon llymsur y stiwdio gelf. O gwdyn plastig tywalltodd fwndel o frwsys paent amrywiol eu maint.

'Wel, pwy sy am rannu'r gyfrinach? Siôn? Byth yn brin o air.'

'Linor, Miss, yn deud bod trip ddoe i Lerpwl yn bly . . .

sori Miss—yn grêt. *Boring* i mi, Miss, dim digon o waith cyfoes. *Abstract art* ydi lein fi.'

'Ma' naturioldeb byd natur yn gosod safon celfyddyd i ni—ffurf ceinder, lliw a . . .'

Torrwyd ar draws Euryn gan ffrwydriad trwynol Moi, ffrind Siôn. 'Rybish! Gwaith artist ydi awgrymu, gogleisio, creu pysl a gadael i bawb intyrpritio drosto'i hun, Miss.' Wrth fynegi ei farn cododd ei goes yn fwriadol i ddangos rhwyg iach yn ei jîns deuliw, a'i dreinars blêr. Ond yr oedd Ceinwen Morgan yn rhy gall i godi i'r abwyd. Wedi'r cwbl yr oedd Gwilym Bellis, y prifathro, wedi cytuno â Ceinwen Morgan y dylid rhoi penrhyddid i'r Chweched Dosbarth wisgo be fynnent yn y stiwdio gelf ar ddydd Mercher. Bu'r arbrawf yn llwyddiant, y trafod yn fwy rhydd a heriol, yr awyrgylch yn llawer mwy arbrofol a Ceinwen Morgan ei hun yn adlewyrchu'r rhyddid gyda'i smoc amryliw, clustdlysau doniol a chulots pinc.

'Iawn. Siôn, neu beth am Elsbeth? Ydi'r un ddadl yn wir wrth drin ffabrig?' Merch swil, nerfus oedd Elsbeth ond yr oedd ei chreadigaethau gorliwgar, ffasiynol yn ennill edmygedd yn y dosbarth.

'Wel, ond, Miss Morgan . . . mi fydda i'n cynhyrfu drwydda wrth edrych ar waith creadigol, ond dim ond pan fydd y defnydd rhwng fy mysedd yr ydw i'n teimlo'n fyw, yn fyw . . .' a llithrodd ei geiriau i blygion y defnydd yn ei llaw.

'Gwych,' a chywair ei llais yn newid i fynegi ei phleser yn yr ymateb bywiog gan ei myfyrwyr ifainc. Chwech ohonynt yn dilyn trywydd gwahanol, a'i pherthynas gynnes ei hun â'r ifanc yn rhoi hyder iddynt.

'Miss, ma' 'mysedd i'n fyw pan fydd gen i gan o shandi yn . . .'

'Dyna ddigon, Cyril. Nid yn y Peint a Phaned, Stryd y Groes, wyt ti rŵan!' Ysgafnhawyd yr awyrgylch gan ei hateb parod a rhyddhawyd y chwerthin a fygwyd gan wylltineb Linor cyn i Miss Morgan gerdded i mewn.

Eisteddodd Ceinwen ar ymyl y bwrdd ac arhosodd am eu sylw.

'Bysedd! Yn union, Elsbeth, bysedd ydi'r ddolen gydiol rhwng yr ymennydd creadigol a'r deunydd crai—felly, talihô! Bysedd prysur am awr, ac mi gawn ni drafod a gweithio.'

Cynhyrfwyd ysgafnder y stiwdio gan *Bzzzzz* chwit chwat, a chwifio breichiau'r myfyrwyr hwyliog.

'Pe bai eu dyfodol mor ddibryder,' meddyliodd Ceinwen, cyn eu cyfarch eilwaith, 'Eich sylw am eiliad. Cofiwch am ddameg fach y . . .'

'. . . *SABLE BRUSHES*,' yn chwechawd dychanol.

'O.K. Pwynt i chi,' wrth arddangos yr amrywiaeth o frwsys. 'Blew anifail bychan o'r Arctig, lle oeraf, mwyaf unig y greadigaeth, blew mân, ystwyth, difywyd. Ond, ond yn nwylo artist, cyfrwng i ddehongli ceinder y bydysawd. Does dim ond mis ar ôl i chi gwblhau eich portffolio —ffwr' â chi.'

Fel pe bai ond awr o'r mis ar ôl, aethant ati i baratoi cynfas, ffabrig, olew, lledr a phlastig gan lefeinio'r prysurdeb â mân sgwrsio.

'Hei, Els, be am y *gig* yn Caban Wil heno?' er y gwyddai Fletch na fyddai wiw i Elsbeth fynd. 'Moi a fi'n mynd i glywed Moch Madryn.'

'Men, wyt ti am arbrofi gyda'r acrylic fel ail ddimensiwn?' sibrydodd Elsbeth, i osgoi ateb Fletch. Ond fel y deuai pob un i'r afael â'i waith ei hun fe dawodd y sôn am fideo a iypis *Caster High* a beic mynydd Dave Mallon. Symudai Ceinwen Morgan yn dawel o un îsl i'r llall.

'Tybed ydi'r ffurf gymesur yn tynnu rhywfaint oddi ar y gwrthfynegi yn y lliwiau llachar?' awgrymodd hi wrth edrych ar gynllun ffenest liw i Ganolfan Fusnes ddychmygol o waith Euryn. Camodd ef yn ôl i astudio'r cyfanwaith.

'Dwi'n anelu at y gwrthdaro sy ym myd busnes rhwng elw a chyflog teg, Miss. Dwi hefyd yn anelu am gynildeb patrwm a gordaenu'r lliwiau.'

'Ma' fo run fath â Startrek!' mwmiodd un o dan ei wynt, fel y casglai'r lleill o gwmpas. Yr union beth a ddymunai eu hathrawes i sbarduno dadl rhwng yr arddegau. Yn araf llithrodd at ochr Linor. Syllodd yn edmygus ar amlinelliad cain a sensitif o ferch noeth yn syllu'n freuddwydiol ar long hwylio fechan yn hwylio i gyfeiriad tŵr ifori.

'Dylanwad Eidalaidd, Linor? Fyddech chi'n cytuno bod y cynllun a'r ffurf yn orglasurol?'

Siomwyd Ceinwen Morgan na fu i Linor dderbyn yr her â'i brwdfrydedd arferol. Canolbwyntiodd ar lyfnhau osgo'r ysgwyddau a'r fron â'i phensel yn ysgafn, cyn ymroi ati i gymysgu lliwiau ar balet.

'Dylanwad Cymro, Miss Morgan, Cymro o ardal Taid,' atebodd wrth arbrofi â gwahanol gymysgedd o olew ar y palet.

'Wir, ma'n eglur bod y daith i Lerpwl wedi eich cynhyrfu, Linor. Onid ydi'r Oriel newydd yn y Walker yn odidog? Felly, John Gibson sy wedi ysgogi'r arbrawf yma,' wrth astudio'r amlinelliad.

'Ma'r Fenws o'i waith wedi deffro slant newydd yno' i, Miss, ar y ffurf fenywaidd—mor berffaith ac ystwyth. O,

Miss, rydw i'n teimlo fel pila-pala wedi dianc o'r cocŵn.' Roedd y stiwdio yn dawel.

Am eiliad dihangodd Menna i sbleddach o bili-palod yn peintio'r stiwdio â'u hadenydd, ond pelydrau *laser* Ogof Otto ar Nos Sadwrn a welai Cyril. Mi fase hanner o lager yn grêt meddyliai, wrth fyseddu pigynnau gleision ei wallt.

'Diddorol, Linor. Gawn ni rannu'r profiad?' holodd wrth eistedd ar stôl uchel. Winciodd Moi pan ddaliodd lygad Elsbeth.

'Wel, Miss, doedd gen i ddim cywilydd pan ddois i i'r byd yn noeth.'

'Ond, Linor, fe alle fod yn embaras i rai pobl hyd yn oed edrych ar Fenws o farmor o wawr binc, heb sôn am ferch gyfoes . . .'

' . . . ar dudalen tri y *Daily M* . . . Miss,' mentrodd Moi rhwng ei ddannedd.

Cynhyrfwyd Linor. 'Rwyt ti cyn waethed â Fletch. Roedd John Gibson yn credu bod corff dynol yn rhy gain, yn rhy hardd, rhy—rhy—siapus i roi dillad amdano. *Camouflage*. Wedyn . . .'

'Be am y mwnci, Lin?'

'Fflip, Lin, be am y plant welest ti ar y teli neithiwr—sgerbwd a llygad llyffant—yn Ethiopia? Ni sy'n llwgu nhw.'

Roedd gwrid anghyffredin yn cynhesu gruddiau Linor. 'Rydw i'n credu bod Duw wedi creu y corff perffaith. Ni, pobol, sy'n 'i ddifetha fo, ac . . .'

'Siarad capel 'di lol fel'na.'

'Nage. Ma' dillad a . . . geiriau cas . . . ac arfau niwclear . . . a brifo pobol . . . run fath â Mam . . .' Tawodd yn sydyn a chuddiodd ei hwyneb â'i dwylo.

Syrthiodd y brws i'r llawr. Yn dawel plygodd Miss Morgan a rhoddodd y brws ar astell yr îsl.

'Peth braf ydi cael dadl am rywbeth heblaw roc a phyncs. Diolch. Ewch ati rŵan i ddehongli eich creadigaethau chi—haniaethol neu fel arall.' Dychwelodd at ei desg, ond nid cyn sylwi bod Linor yn crynu.

'Pink Panther ar dudalen tri *Penthouse*,' sibrydodd Moi yn sbeitlyd. Fe anwybyddwyd ei ymyrraeth. Roedd y Linor hon yn ddieithr iddynt. Ar ôl rhai munudau o arbrofi â gwawl binc ysgafn, rhoes Linor y brws i lawr a throdd yr îsl o olwg y dosbarth.

'Am gael goleuni'r ffenestr ddeheuol, Miss.'

'Ymarferol iawn. Ewch ymlaen, Linor.' Wedi pymtheng mlynedd o brofiad fel athrawes gelf yr ysgol fe wyddai Ceinwen Morgan yn rhy dda fod y corff dynol bob amser yn deffro emosiynau a rhagfarnau. Roedd yn eitha siŵr bod yna brotest yn corddi Linor, ar waethaf ei hysgafnder a'i brwdfrydedd. Annoeth fyddai ymyrryd. Prin bod brws Linor yn cyffwrdd â'r cynfas. Yn annisgwyl, yr oedd y blynyddoedd o gasineb a ffraeo ar yr aelwyd yn ei fferru a geiriau creulon ei thad yn tagu pob ymdrech i fod yn greadigol. Ysai am fod gyda Drog. Nid oedd golwg ohono. Ei bwriad oedd amlygu ei hedmygedd a'i chariad at ei mam drwy greu ei Fenws ei hun, merch luniaidd, dyner, a hyder ei stans yn gorfoleddu cyffyrddiad perffaith y Creawdwr. Efallai y byddai wedi cyfaddef wrth Drog, ganol nos, mai ceisio ymddihatru ei hun o'i heuogrwydd na fyddai wedi amddiffyn ei mam erstalwm yr oedd. Yr oedd gwawl y lliw yn rhy lastwraidd. Trochodd y brws yn y glanhawr. Arbrofodd ag arlliw mwy aeddfed. Gwrthodai ei bysedd reoli'r cyffyrddiad tyner yr anelai amdano. Ac aflendid iaith ei thad yn cymylu ei dehongliad personol hi, fe wawriodd arni ei fod am lurgunio ei delfryd ac ymestyn ei gasineb i'w bywyd hithau.

'Chwarter awr arall,' yn llawn edmygedd o'u prysurdeb. Yn ôl ei harfer cychwynnodd Ceinwen Morgan ar y gwaith o adolygu ffrwyth dwy awr o waith creadigol. Pan glywodd y llais fe feddiannwyd Linor gan ffyrnigrwydd anghelfydd. Mewn eiliadau yr oedd y palet yn gowdel o liwiau cras. Gorlwythodd ei brws a thaenellodd haen ar ôl haen yn annisgybledig dros ei chynfas.

'Gwreiddiol iawn, Euryn. Mae'r sylw i falans cynlluniol yn addawol.' Fe sylwodd ar anesmwythder Linor. Aeth at Elsbeth. 'Fyddech chi'n cytuno bod ysgafnder y ffabrig yn tynnu oddi ar linell gyfoes y wisg?'

'Na, rydw i am i'r gwaith gorffenedig chwyrlïo i rythmau'r corff, Miss Morgan.'

'Addawol iawn, Elsbeth,' gan lithro'n hamddenol i ochr Linor. Gwasgodd ar ei gwynt. Syllodd heb fradychu ei braw.

'Wel, Linor, ble'r aeth y Fenws? Onid oes yna elfen Hogarthaidd wedi cymryd drosodd, mmmm?'

Yr *hym* awgrymog a dynnodd sylw Men. Nid atebodd Linor, dim ond cyflymu rhediadau trwsgl y brws dros y breichiau, y cluniau a'r pen. A'r haen gochddu hyllig lle bu wyneb yn grotesg. Cymerodd Ceinwen Morgan y brws o'i llaw ond cipiwyd ef yn ôl i chwipio trwch o borffor bygythiol dros y gynfas. Roedd chwilfrydedd Men yn ormod iddi. Camodd ymlaen. Edrychodd a gwawchiodd yn hysterig. Mewn fflach yr oeddynt i gyd o flaen yr îsl. Yn ddiofal taflodd Linor y palet ar y llawr a cherddodd at y ffenestr. Dilynwyd hi gan y sibrydion.

'Blydi el . . . does ene ddim siâp . . . gwaith *kid* 'rysgol fach . . . hei, yli, ei bethma hi . . . Lin yn boncyrs . . . *flasher . . . abstract . . .*'

'Nawr 'te,' meddai Ceinwen Morgan wrth frwydro i gadw ei llais yn wastad. 'Gadewch i ni drafod yn rhesymol. Arbrofol? Argraffiadol? Cartŵn? Be ydi'ch adwaith?' Yr oedd ei gwên yn bur annaturiol. Dim ymateb.

'Protest hwyrach? Dehongliad merch o'r terfysg a'r berw yn Rwmania, Hwngari, Estonia . . .?'

'Na, protest bersonol, Miss Morgan,' ond nid llais Linor a glywid.

'Linor, gawn ni rannu'ch teimladau, sy'n rhai cryfion, mae'n eglur.' Ar flaenau ei thraed camodd Linor yn hamddenol at y darlun, ac ailafaelodd yn y palet a'r brws. Wynebodd ei chyd-ddisgyblion.

'Mae anrheithio cymeriad Mam yn gyfystyr i mi â threisio pob Efa a grewyd gan ein . . . ein . . .' a chollodd ei geiriau yn y distawrwydd. Ni allai Ceinwen lai nag edmygu Cymraeg rhywiog rhai o ddisgyblion Ysgol Gyfun Gymraeg Rhyd Gwyros. Ond yr oedd yn ansicr o'i cham nesaf. Linor a'i cymerodd. Trodd eilwaith at y darlun, llanwodd y brws â phaent du a chyda phendantrwydd herciog peintiodd y gair NHAD ar waelod y cynfas. Dychwelodd y palet i'r bwrdd cyfagos a cherddodd allan a'r brws rhwng ei dannedd.

Plentyn Ei Oes

Am chwarter wedi naw fe fyddai'r disgyblion yn gorymdeithio'n dawel i'r neuadd yn Ysgol Gyfun y Gilfach i gynnal gwasanaeth byr. Fe'u goruchwylid ar y coridorau gan yr athrawon; ni chaniateid dim siarad. Gan fod yr athrawon yn sgwrsio mewn grwpiau o ddau a thri, ni thelid llawer o sylw i'r rheol. Wedi rhai munudau o lusgo traed, symud cadeiriau a ffeirio sigarét a chomig, fe alwai Mr Larkin am ddistawrwydd drwy alw 'Birdie' ar y bechgyn. Cyfrifoldeb un o fyfyrwyr y Chweched Dosbarth oedd dewis record a throi'r dec ymlaen i gladdu'r distawrwydd. O wybod am ogwydd y Prifathro, Ian Humphries, at gyfansoddwyr cyfoes, fe lenwid y neuadd yn aml â synau digon annerbyniol gan ffyddloniaid y gig wythnosol yn yr un neuadd. I fiwsig Mathias neu Fraun fe gerddai'r athrawon i mewn, yn cael eu dilyn gan y Prifathro, yr unig un mewn gŵn. Fe fyddai dau neu dri o athrawon yn absenoli eu hunain o'r gwasanaeth am resymau seciwlar, neu eu gwanc noeth am goffi cryf cyn wynebu'r dosbarth. Fel arwydd o'i barodrwydd i ddechrau'r gwasanaeth byddai'r Prif yn gosod ei sbectol ar flaen ei drwyn ac yn swisio ei ŵn yn gyflym wrth eistedd.

Idwal Davies, organydd Eglwys Sant Marc ac athro cerdd yr ysgol a ddewisai'r emyn. Gan fod y geiriau Cymraeg mor ddieithr â'r dôn i'r disgyblion, fe fyddai'n tynnu sŵn o'r piano gyda'i ddyrnau yn hytrach na'i fysedd! Y canlyniad oedd bod y rhan yma o'r gwasanaeth yn debycach i jamborî frodorol rywle yn Affrica. Fe ddilynid yr emyn gan ddarlleniad o'r Ysgrythur, wedi ei ddewis gan y Prifathro, a'i ddarllen gan ddisgybl o'r drydedd flwyddyn.

'Dyma ni, Iolo, eich tro chi yr wythnos hon, rhan o un o lythyrau Paul.' Cymerodd Iolo y pwt papur a'r nodyn Colos. iii. 20 wedi ei sgriblo arno. Hogyn swil, unig oedd Iolo. Cymerai ei waith o ddifrif, darllenai'n gyson ac fe gwblhâi ei waith yn ôl gofynion yr athrawon. I rai 'Swot', i eraill 'Git'. Oherwydd y plorynnod ar ei wyneb nid oedd yn un o ffefrynnau'r genethod. Y cwningod yn yr ardd oedd ei ffrindiau.

Ar ôl cyrraedd adref a chwilota, cafodd afael ar Feibl o dan bentwr o *Racing Times*. Ciliodd i'w lofft yn ddistaw i osgoi'r cweryla rhwng Stevie James a'i fam yn y gegin. Yr oedd llais ei fam yn ei atgoffa am sgrech paun ar lawnt y Castell. Cliriodd ei wddf i ymarfer,

'Chwi blant ufuddhewch i'ch rhieni ymhob peth . . .'

'Chwi dadau peidiwch â bod yn galed ar eich plant, rhag iddynt ddigalonni.'

'Dim yffar o berig, Humph.' Neidiodd ar ei draed a chlepio'r Beibl ar y dresin tebl. Aeth allan i'r ardd i lanhau cwt y cwningod. Ar ôl gwylio'r mwythyn yn cnoi'n fân ac yn fuan, ei chlustiau'n fflop dros ei llygaid a'i phawen yn gogru'r bwyd, dychwelodd Iolo i'r llofft ac ailafael yn y Beibl. Am beth amser ffliciodd drwy'r tudalennau yn ddiamcan, cyn aros gyda hanes cynnar yr Hen Destament. Gwnaeth nodyn yn ei ddyddiadur.

Drannoeth ar ôl yr emyn cerddodd Iolo i'r llwyfan a gosod y Beibl ar y ddarllenfa. Pesychodd cyn dechrau darllen,

'A dywedodd yr Arglwydd wrthyf, "Dyna ddigon, paid

â siarad wrthyf eto am hyn. Dos i ben Pisga, ac edrych i'r gorllewin".'

Taflodd ei olygon dros y gynulleidfa yn hamddenol, a chliriodd ei lwnc yn swnllyd,

'A dywedodd yr Arglwydd wrthyf, "Dyna ddigon, paid â siarad wrthyf eto am hyn. Dos i bisio," saib "ac edrych i'r gorllewin".'

Aeth y neuadd fel y bedd. Camodd Mr Morris ymlaen yn ddistaw ac arweiniodd Iolo gerfydd ei fraich o'r llwyfan ac allan o'r neuadd.

'Hoffech chi fynd adref, Evans?'

'Adref?' yn sardonig. 'Na, dim diolch, Syr.'

'Wel, steddwch a chariwch ymlaen â'ch prosiect ar Gelfyddyd yr Eidal.'

Yr oedd synau'r coridor fel cwch gwenyn. Cadwodd Iolo ei ben dros y llyfr.

> Pan oedd yn dair ar ddeg oed fe brentisiwyd Michelangelo Buonarotti am dair blynedd yng ngweithdy un o feistri Florens, yr artist Ghirlandajo. Yr oedd ugain mlynedd yn iau na Leonardo.

Daethant i mewn o un i un, yn dawedog, ambell i 'grêt' a rybflo ei wallt yn chwareus gan edmygwyr annisgwyl.

> . . . gerddai i chwareli Carrara i ddethol blociau o farmor ar gyfer ei gerfluniau. Yr oedd ei dad . . .

Caeodd y llyfr yn swnllyd a'i daflu i'w ddesg. Anwybyddodd glebran y bechgyn. Rhoddodd ei sylw i wers Euryn Rhys ar waith Islwyn Ffowc Elis. Daeth bachgen i'r ystafell gyda nodyn, a galwyd ar Iolo i fynd i ystafell y Prifathro. Fe ymdeimlai Euryn Rhys ag embaras y dosbarth wrth ragdybio'r gosb. Pan gerddodd i mewn i ystafell y

Prifathro yr oedd yn siarad ar y ffôn, ac arwyddodd ar Iolo i gymryd cadair. Drwy'r ffenestr agored yr oedd sŵn traffig ar y lôn a bechgyn yn chwarae gêmau ar y maes. Sylweddolodd Iolo mor sychedig oedd, wrth arogli'r coffi ar ddesg Humph. Edrychai'r fowlen siwgr yn simsan iawn ar ben swp o lyfrau. Hoeliodd ei lygaid ar dwll yn y carped.

'. . . mor fuan ag sydd bosib, dau ddwsin o gopïau. Diolch,' a rhoddodd y ffôn i lawr.

Ar ôl gwneud nodyn yn ei Filofax, edrychodd y Prifathro yn garedig ar Iolo. 'Ddaru chi ddim darllen y testun a ddewiswyd gen i.'

'Naddo, Syr,' gan wylio criw mewn crysau T yn loncian o gwmpas y cae.

'Rhaid bod rheswm am hynny. Tynnu sylw atoch eich hun neu . . .'

'Wn i ddim a gefais i sylw, Syr.'

'Do. Be oedd eich bwriad?'

Daliodd Iolo ei afael yn y twll drwy amrannau hanner caeedig. 'Wn i ddim. Wel, fedra i ddim deud.'

'A! Mae 'na reswm felly.' Roedd y Prifathro yn rhy broffiadol i gynnig esboniad a llithrodd yn ôl yn ei gadair i aros am ateb Iolo. Sawl tro y bu i rieni rhai o'r bechgyn drefnu cyfweliad ag ef am y dymunent drafod problem *fach* ag ef! Gwenodd yn sinigaidd lawer tro wrth wrando ar y gair allweddol yn cael ei daflu dros y ffôn mor ddifater. Y peth od oedd mai anaml y defnyddid y gair *bach* wrth drafod cyfweliad am addysg bellach ei fyfyrwyr ifainc. Problemau teuluol a phriodasol a haeddai gael eu bychanu dros y ffôn. A phan ddangosid hwy i'w ystafell, fe ddisgyblai ei hun i beidio â rhoi i mewn i'w hannifyrrwch. Nid na chydymdeimlai â hwy, beth bynnag oedd natur yr argyfwng. Fe ddiogelid eu hurddas drwy iddynt hwy ddatgelu yn eu dull herciog, nerfus eu hunain. Anaml y byddai croesholi cyfrwys yn llwyddo. Gadael iddynt daflu'r ffeithiau a'r cyhuddiadau, fel dau yn chwarae tennis, o un i'r llall. Fe wyddai'n dda am werth distawrwydd fel arf i gyffroi eu hembaras. Onid oes gan lawer o bobl ofn bygythiad distawrwydd?

I roi cyfle i Iolo ymateb i'r saib, gadawodd ei gadair a gwyliodd yr hogiau yn ymarfer, rhai yn fwriadus â'u llygad ar y tîm cyntaf, eraill yn hidlo'u hegni drwy eu bysedd. Dychwelodd i'w gadair.

Gwasgodd Iolo ei fysedd mewn cwlwm tynn a chododd ei lygaid,

'Adref, Syr. Trwbwl rhwng Mam a Dad. Fedrwn i ddim darllen eich dewis chi, yn sôn am dadau. Mi ddaru 'Nhad adael tŷ ni tua blwyddyn yn ôl. Mam a Dad yn cweryla am . . . am fod Mam yn . . .'

Rhedodd y Prifathro ei fysedd dros ei fwstas yn fyfyriol.

'Ma'n ddrwg gen i, Iolo, am y dewis annoeth a minne'n gwybod nad oedd eich tad yn byw hefo chi. Rydech chi'n gefn i'ch mam.'

Hyrddiodd Iolo ei hun yn erbyn cefn y gadair gan chwalu pentwr o bapurau arholiad.

'Does gen i ddim ishio aros adre hefo Mam a'r blydi Stevie sy wedi dod i fyw hefo ni. Sori, Syr.'

Anesmwythodd Ian Humphries. Yr oedd yn fwy cyfarwydd â dicter rhieni wrth drafod eu hargyfyngau teuluol.

'Ymlaciwch, Iolo. A hoffech chi drafod y broblem?' gan feddwl ar yr un pryd ei bod yn un fwy dyrys na smocio yn y llyfrgell neu osgoi gwersi.

Syllodd Iolo arno drwy wydrau tew ei sbectol gan greu'r argraff ei fod yn bell oddi wrth bawb a phopeth.

Dim rhyfedd, meddyliodd y Prifathro, fod *Four Eyes* mor amhoblogaidd ymysg ei gyfoedion.

'Oni fyddai'n bosib i chi gartrefu gyda'ch tad yn yr Amwythig?'

'Mi fase, Syr, ond tydi 'Nhad ddim yn gwybod, a does gen i mo'r gyts i ddeud wrtho fo.' Tarfwyd arnynt gan glician teleffon y swyddfa.

'Ie, Miss James. Na, rydw i'n rhy brysur. Fory, o bosib.' Drws nesaf fe synhwyrodd Miss James y cynnwrf yn ei lais a throdd at Morfydd Philips a oedd yn ceisio meistroli'r cyfrifiadur newydd.

'O! boi, ma' rhywun mewn trwbl drws nesa, anaml y bydd o mor swta.'

'Os nad y *Boss* ei hun sy mewn trwbl.'

Gwrandawodd ef ar y giglan drws nesa cyn symud ymlaen.

'Gyts? I ddweud be, Iolo?' Gwell glynu wrth eiriau Iolo. Yn bwyllog llithrodd Iolo ei sbectol i boced frest ei siaced wrth wyro ymlaen dros ymyl y ddesg.

'I ddeud wrtho fo mai fi ddaru ei letio fo i lawr, fi ddaru'i fradychu fo. 'Nhad ydi—oedd—Pencampwr Codi Pwysau Gogledd Cymru. Mam yn cega bod Dad allan bob nos a'i bod hi yn mynd i riportio fo am 'i fod o'n cymryd *steroids*. Doeddwn i ddim yn coelio Mam, am bod hi'n yfed potel o *sherry* bob dydd, Syr.'

Anadlodd yn drwm cyn gollwng ei dalcen ar ymyl y ddesg. Trodd y Prifathro ei olygon i'r maes chwarae. Faint ohonyn nhw tybed a oedd yn cuddio'u problemau drwy gicio'i gilydd yn eu rhwystredigaeth? Yn araf sythodd Iolo. Yr oedd yr anogaeth yn wyneb ei brifathro yn ddigon.

''Nhad ydi arwr fi. Doeddwn i ddim yn credu bod Dad yn cymryd *steroids*. A mi fase Mam yn deud wrth 'i ffrindie yn y *night club* ar nos Sadwrn yn y *gigs*. Roeddwn i yn ochri hefo Dad a ddaru fi ddeud wrth Ronnie Waldern bod Dad ddim yn cymryd *steroids*. Ma' Dad Ron yn y Clwb Codi Pwysau hefyd a ddaru o ddeud wrth Capten tîm Dad drefnu iddo fo gymryd *test* ar *steroids*. Mi . . .'

Llanwyd yr ystafell â phreblan gyddfol wrth i Iolo lithro ar y carped. Yn ei braw brysiodd Miss James i mewn. 'Popeth yn iawn, Brifathro?' Teimlai'r Prifathro yn anghysurus ar ôl gwrando ar stori gymhleth Iolo. Cyfeiriodd ei fys yn filain at y drws a dychwelodd Miss James i'r swyddfa ar flaenau ei thraed. Yr oedd Morfydd Philips yn glustiau i gyd.

'Iolo Evans yn beichio crio, biti gen i drosto fo. Heb ei dad, a Sophie Evans yn yr *A.A.*, a hithe'n byw tali hefo rhyw *yobbo* ar ôl gwthio Trefor o'r tŷ ryw flwyddyn yn ôl.'

'Hulpen oedd Sophie 'rioed. Wyddwn i ddim ei bod hi'n dreifio chwaith.'

'Nid yr *A.A.* hwnnw, Morfydd. Perthyn i'r *Alcoholics Anonymous*, ma' hi.'

Ildiodd y ddwy i biffian gwirion, gan wasgu eu gwefusau rhag i'r Prifathro eu clywed.

'Hogyn clên oedd Trefor, codi pwysau o'dd popeth iddo fo, cwpanau di-ri a medalau, a mi lluchiodd Sophie y cwbl i'r ardd i gael gwared â Trefor. Ma'r hogyn yn methu dod dros y peth, a'r Stevie hurt 'ne yn 'i gam-drin o. Mi fydde Iolo'n hapusach hefo'i dad.'

'Wel, mi wyddoch, Miss James, *Once an alcoholic, always an alcoholic*. A dyna ydi brol Sophie yn y Clwb ar nos Sadwrn, ei bod hi, *if you please*, yn mynd i brofi hynny. Tase fo rywfaint o'n busnes ni.'

Yn yr ystafell agosaf, yr oedd Ian Humphries yn dilyn yr un trywydd wrth wylio Iolo yn ochneidio yn ddistaw ar y carped. I ba raddau y dylai Prifathro ymyrryd ym mhroblemau teuluol ei ddisgyblion?

'Mae un peth yn sicr,' mwmialodd, 'nid dyma'r funud i athronyddu.' Cododd ar ei draed yn sydyn a dilynwyd ef gan Iolo yn fwy araf.

'Wel, Iolo, fe ddylwn anfon llythyr at eich rhi . . . eich tad neu eich mam ond am y tro, fe adawaf y mater ar y bwrdd, ond . . .'

'Ma'n ddrwg gen i, Syr, peth gwirion wnes i,' gyda rhyddhad amlwg. O leiaf ni fyddai raid iddo wynebu tafod ei fam na gwawd Stevie.

Aeth y Prifathro ymlaen, 'Rydw i am i chi fynd adref—wel, o'r ysgol, am y gweddill o'r diwrnod. Rydw i'n falch eich bod wedi rhannu'r broblem â mi, ac y mae'n deg i mi ddeud y gwyddwn fod eich tad wedi cael ei ddiarddel o'r tîm. Mae'r tlysau ganddo ac mae'n dal i gymryd diddordeb mawr mewn codi pwysau gyda chlybiau ieuenctid. Un awgrym, Iolo. Ystyriwch yn ofalus a ddylech symud i fyw gyda'ch tad.'

'Syr, fedrwn i ddim edrych bob dydd ar y cwpanau a finne'n gwybod mai fi a'i rhwystrodd rhag ennill Pencampwriaeth Ewrop.'

'Iolo, yn ddamweiniol ac yn ddiniwed ddaru chi, yn eich geiriau chi, letio'ch tad i lawr. Cyfaddefwch wrth eich tad—mi fydd o'n deall. Ewch rŵan, i feddwl dros y peth. Mi gawn ni sgwrs mewn rhyw ddeuddydd!'

Ar ôl treulio awr o gwmpas y parc, dychwelodd Iolo at ei ffrindiau yn yr ardd. Gwyliodd y cwningod yn cnoi letys yn fân ac yn fuan cyn mynd i'r tŷ. Yn frysiog casglodd dorth, menyn, tun o Coke a bisgedi a thaflodd y cwbl i'r wardrob. Ni fyddai raid iddo eu hwynebu hwy cyn y bore trannoeth. Yn ddiweddarach rhedodd i dŷ Les Holmes i chwarae gwyddbwyll. Anaml y byddai'n ennill, ond nid oedd rheidrwydd arno i siarad dros y bwrdd. Roedd hynny'n ei blesio.

Pan gerddodd i mewn i'r alcof frecwasta drannoeth eisteddai ei fam ar stôl uchel, cwpanaid o goffi yn un llaw a'r *Daily Mirror* yn y llall. Ar y soser yr oedd sigarét yn mudlosgi, a photel wag o Amontillado ar y seidbord.

'Hi! Dozey! Helpa dy hun, os nad wyt ti am fynd i gnoi letys hefo dy gwningod.' Gwnaeth Iolo de iddo'i hun. Edrychodd hi arno dros ymyl y papur. 'O! del, ydi coffi'n rhy gry i hogyn bach fi ben bore? Plesia dy hun! Jest 'run fath â dy dad.'

Tagodd Iolo ar ddarn o dost y ceisiai ei gnoi yn ddistaw rhag tynnu mwy o dafod oddi wrthi. Brysiodd Stevie i lawr y grisiau mewn siwt ddu a gwyn dros grys T pinc. Yr oedd yn droednoeth, a bag trafaelio yn ei law.

'Ble ma'r blydi treinars glas? Ho! ho! Wimp,' gan roi hergwd iddo rhwng pont ei ysgwydd. Cipiodd ddarn o dost o law Iolo a'i dipio yn y ddysgl marmalêd. Crwydrodd o gwmpas yn ddibwrpas cyn fflicio'r papur o law Sophie. 'A pham y neidiais i dy wely di neithiwr wn i ddim.'

'Wel, cymer sbec ar bŵbs honne ar dudalen tri,' drwy wich sbeitlyd.

Aeth yn ffrae ar unwaith a chlensiodd Iolo ei ddannedd ar y cwpan i geisio rheoli'r ysfa a ddaeth drosto i daro un ohonynt. Tarfwyd ar eu cweryla gan gloch y teleffon yn y lolfa. Diflannodd Sophie. Mewn rhai munudau chwalwyd y distawrwydd annifyr gan wawch syfrdanol o giglan afreolus o'r lolfa. 'Ma' dy fam rownd y bend weithie,' yn goeglyd.

'Jennie, fedra i ddim credu . . . Chlywes i 'rioed . . . Rhaid i mi ddeud wrth Stevie . . . Na, na gei di ddeud wrtho fo . . . Senseshonal, Jen. Stevie, tyrd yma,' ac ail-gydiodd mewn sgrechian gwawdlyd. Yn dawedog aeth Stevie i'r lolfa. Manteisiodd Iolo ar yr eiliadau distaw i bacio'i lyfrau. Ailgynheuwyd y chwerthin a Sophie a Stevie yn gorlwytho'r lolfa â'u chwerthin direswm. Yr oedd Iolo yn crynu, tynnodd ddau lyfr o'i fag a gwasgodd hwy'n dynn dros ei glustiau. 'Dad, plîs, plîs!'

Law yn llaw rhuthrodd y ddau o'r lolfa mewn cwmwl o chwerthin a llusgwyd Iolo i afflau'r ddau. Gwaeddodd Stevie dros y gegin,

'Grêt, jest blydi grêt. Ma' gen y bachgen gyts wedi'r cwbl, *guttsey* Iolo. Ma'r Wimp wedi tyfu i fyny.'

Gwingodd Iolo'n rhydd o'i afael ac edrychodd yn hurt arnynt. Yn ofer fe geisiodd grapio ei fag ysgol—cyn i'w fam lapio ei hun yn doeslyd amdano. 'Iolo fi, o bawb—mor feiddgar—o flaen yr ysgol.'

Fe wawriodd ar Iolo beth oedd wrth wraidd y gorfoleddu ffals ac anelodd ergyd â'i fag ysgol at ben Stevie. Cymerodd gam yn ôl.

'Iolo Blydi Evans, rêl pantomeim, piso o flaen yr ysgol.'

'Paid â bod yn dafft, Stevie. Deud y gair wrth . . .'

'Wel, be 'di'r gwahaniaeth rhwng deud a gwneud?' wrth redeg *zip* y bag. Roedd yn rhy gynnar gan Sophie i feddwl am ateb. Yr oedd Iolo'n crynu a'i geg yn grimp wrth iddo geisio sleifio'n sydyn rhyngddynt. Nid cyn i Sophie afael yn nhennyn ei fag ysgol.

'Hanner munud, hogyn mawr fi, rhaid i ni gael gwydr-iad o *sherry* i ddathlu. Stevie, y *sherry*.'

'Dim o dy driciau, ma'n rhy gynnar. A rhaid i mi ddal y trên i Brom—am brynu gitâr newydd cyn i'r Stevie Stunters fynd i'r *gig* fawr yn Amsterdam. Pop ydi pop a piso ydi piso, yntê, Iolo, *Big Boy*.'

Roedd ei chwerthiniad bellach yn gras a lluchiodd Sophie arwydd V i'w wyneb. Roedd hi'n barod am swig.

'Wel, am stori—*exclusive*—fydd gen i i'r genod yn yr offis heddiw.'

'Tyrd,' gan afael yn ei gwar, 'rho lifft i mi at y trên.'

Ar ôl munudau o wisgo a phacio aeth y ddau allan heb air a gwrandawodd Iolo ar y Fiesta yn crensian dros y cerrig mân.

Glynodd wrth y tawelwch cyn dringo'r grisiau i'r llofft. O ddrôr uchaf y gist wrth ochr ei wely tynnodd allan lun mewn ffrâm bren.

Eisteddodd ar erchwyn ei wely a gwyliodd ei ddagrau yn cronni ar y gwydr.

Newid y Patrwm

Yn groes i'w harfer fe gododd Dilys am hanner awr wedi saith. Pan oedd ei mam yn fyw, codi am bum munud i wyth oedd deddf y Mediaid a'r Persiaid yn Cartrefle, 9 Pigyn Terrace. Pum munud i ddarllen rhan o'r Beibl, tra byddai Maggie Lloyd yn anadlu ei *smelling salts*, neu'r *medical salts* fel y mynnai hi gyfeirio atynt; roedd *smelling* braidd yn gomon. Hanner awr wedyn i baratoi brecwast o fara gwŷn tenau, te gwan gyda llond gwniadur o lefrith ac un lwmp o siwgr, wedi ei osod yn ddestlus ar hambwrdd crwn gan Dilys; tost a the cryf i Dilys, yna yn ôl i'r llofft i hulio'r bwrdd bambŵ â'r tabledi gwyn, y rhai hirgrwn, a'r capsiwls glas sy'n ypsetio'n stumog i; y blwch o Kleenex, potel o Sanatogen a ffon fugail i alluogi Mrs Lloyd i gnocio'r wal nesaf mewn argyfwng. Yna'r gorchmynion dyddiol, 'Cofia alw hefo Jones Chemist am eli, ma' fo'n gwbod; rhaid i ti roi dy gôt drom heddiw a sgiarff; cer i gwyno wrth Becar fod crystyn y dorth wedi llosgi ddoe, a gofala fod yn ôl erbyn deng munud wedi hanner—amser Ribena.' Yr oedd Dilys yn naw ar hugain oed, heb erioed syrthio i freichiau un o'r hogiau, yn trosglwyddo ugain punt yr wythnos o'i chyflog i'w mam, i'w galluogi hi i'w ddidoli yn ddyddiol ar gyfer siopa, ac yn dibynnu am ramant yn ei bywyd ar lyfrau Barbara Cartland. Yr oedd cerdded allan yn y bore i wyneb cawod drom o genllysg yn rhyddid pur iddi. Am ddau funud i hanner byddai'n sleifio allan o'r swyddfa, sleifio i osgoi llygad barcud Emlyn Hoskins, ac yn brysio'n ôl adref gyda'r ordor ddyddiol yn y bag coch i . . . ta waeth, mae'n rhy undonog.

Mwy diddorol o lawer yw'r diwrnod tyngedfennol hwnnw ym mywyd Dilys Lloyd. Dydd Gwener Mai y nawfed ar hugain. Y bore pan gododd am hanner awr wedi saith. Nid bod a wnelo ei mam â'r diwrnod na'i ddigwyddiadau am y rheswm syml y bu farw ei mam bedair blynedd yn gynharach, yn cwyno ac yn grwgnach i'r diwedd. Fe dderbyniodd air o gydymdeimlad oddi wrth Emlyn Hoskins wedi ei ysgrifennu ar un o anfonebau *Hoskins Seed Merchants*,

> *Sorry to hear about your mother. I can allow you two days with pay. The Denmark seed orders have to be attended to. Sorry I cannot be present due to my anaemia. (Mr) Emlyn Hoskins.*

Pan agorodd Dilys ei llygaid ar y bore tyngedfennol o Fai, y peth cyntaf a welodd oedd y cerdyn wedi ei stwffio i gornel ffrâm a darlun o Lloyd George ynddi. Mae'n wir bod y cerdyn wedi melynu a chyrlio yn y corneli, ond yr oedd yn symbol bythol wyrdd o obaith i Dilys. Bob bore ar ôl cicio'r dwfe i droed y gwely a dau funud o ddylyfu gên dioglyd, fe ddarllenai'r nodyn drosodd a throsodd. Pedair blynedd yn ôl yr hyn a ddarllenai Dilys rhwng y llinellau a amlygodd asbri newydd yn ei cham ac ysgafnder llesmeiriol yn ei llygaid. Yr oedd dau ddiwrnod hebddi yn y swyddfa yn ormod iddo, ond bod ei swildod yn gwarafun iddo agor ei galon. Rhamant yn ei bywyd llwyd, hedyn cariad yn blaguro ar bapur archeb, ymbil cynnil am gyffyrddiad llaw gynnes i leddfu ei wendid. Nid oedd arwyr Barbara Cartland yn ddim ond bwganod gwellt o'u cymharu â'r marchog, Syr Emlyn. Ond iddo godi ei darian, wel, ei fys bach, fe fyddai yn rhwymo ei hun wrth gadwyn ei oriawr aur. Rhyddid o hualau gormesol ei mam.

'Siawns nad ydw i'n haeddu 'chydig o dendans yn fy ngwendid,' oedd ei chnul bob dydd wrth fynnu ei chwmni yn y llofft ar fin nos; wrth hawlio potel ddŵr poeth tua thri o'r gloch y bore, ac wrth atgoffa Dilys yn ddyddiol a hyd syrffed,

'Doctor Blyddin yn 'i le, mor bwysig ydi cadw at y patrwm hefo ffisig ac ymgeledd ac ymarfer y gewynnau, er . . .'

'Ond fuoch chi ddim dri cham o'ch gwely ers misoedd,' mentrodd Dilys er mawr fraw iddi hi ei hun.

'Rydw i'n rhy wan i wau hyd yn oed,' ochneidiodd yn awgrymog, 'ond does ene fawr o edafedd ar ôl yn y bellen.' Tretiodd Dilys ei hun i wên oddefgar wrth dynnu'r llenni i gadw'r haul o lygaid ei mam. Ond byddai'n rhuthro i lawr y grisiau i fwrw ei llid ar Smwt gynffon ddu a'r sosbenni yn y sinc. Yn raddol byddai'n ailafael yn y rhith o normalrwydd yn ei bywyd, er gwaethaf tyndra gewynnau ei stumog, drwy ddianc i bennod arall o *The Golden Love of Sheila Primm*. Ac o dro i dro âi ati i wau siwmperi nad oeddynt byth yn ffitio'n dda yn sgil colli gormod o bwythau. Un min nos ar ôl gwylio'r apêl ar y teledu am flancedi a festys wedi eu gwau â sbarion edafedd, i atal plantos Ethiopia rhag rhewi i farwolaeth, fe daflwyd y siwmperi i'r fasged. Cribiniodd drors y tŷ a basgedi ei mam am belenni o bob lliw, a thaflodd ei hun i'r gwaith o wau pentyrrau o sgwariau bychain cyn eu pwytho yn flanced. Y cariad na allai gynnig i'w mam yn cael ei rwydo ym mhatrwm y blancedi a'i drosglwyddo yn gynhesrwydd i ddioddefwyr diniwed y Trydydd Byd. Ble bynnag yr oedd hwnnw, meddyliai'n aml. Ond un byd sy ohoni—fy myd i a phlant llwglyd y Swdan a Bolivia!

Y bore dydd Gwener arbennig yma o Fai fe wawriodd ar Dilys nad oedd Emlyn Hoskins bellach yn rhan o'i byd hi na phlant y cyni a'r sychdwr. Fel y syllai ar y cerdyn melyn yn y ffrâm fe syrthiodd y cen o'i llygaid. Neidiodd o'r gwely, rhwygodd y cerdyn a thaflodd y manion i'r fasged. Â'i meddwl yn berffaith glir, chwaraeodd â'r syniad, wrth wisgo ei dillad isaf, o anfon nodyn byr iddo yntau.

> Sori, methais ddod dydd Gwener. Sori bod hwn ddau ddiwrnod yn hwyr. Rhaid i mi ofalu am ordors plant Ethiopia,
>
> (Miss) Dilys Lloyd.

Ond na, nid oedd am guddio y tu ôl i bwt o bapur. Fe'i cyfarfyddai fel arfer. Taenodd amryw o'i gwisgoedd ar wely y llofft gefn. Darbwyllodd ei hun nad oedd steil y ffrog felen yn gweddu iddi, yn hytrach na chydnabod mai pwysau canol oed oedd yn ennill tir. Yr un las â'r botymau bychain ar y ddwy boced a'r tei bô glaswyrdd a ddewisodd. Wrth dacluso ei hwyneb â'r minlliw a'r colur, synnodd mor llugoer oedd ei theimladau. Ar y dresin tebl o'i blaen yr oedd pentwr o'r sgwariau gwerthfawr, gwasgodd ddyrnaid ohonynt i'w bron a sibrydodd gydag emosiwn ddieithr iddi, *'I chi, 'mhlant del i.'* Yr oedd ffresni ei theyrngarwch yn tynnu dagrau i'w llygaid. Syrthiasant fel eira mân ar y sgwariau. Nid oedd colli ei mam nac ennill Emlyn Hoskins wedi adweithio arni fel hyn. Wrth droed y grisiau yr oedd Taffcins, y corgi.

'Mi gei di ddod hefo fi, Taff,' cyn brathu ei geiriau. Cofiodd am wên fingam Emlyn dair neu bedair blynedd yn ôl ar ddiwrnod eu haduniad blynyddol, pan gododd Taff ei goes yn erbyn postyn lamp ar gornel Heol Dewi.

'Ryden ni mewn lle cyhoeddus iawn i beth fel 'na, Dilys,' yn ei lais ffyslyd gan frysio o'i blaen yn fwy ffyslyd.

Am yr eildro y bore hwn, fe sibrydodd '*Sissi*'.

Pan setlodd ei hun yn yr Austin a bachu'r gwregys, yr oedd hyd yn oed y modur yn gyndyn o gychwyn. Anelodd am y drafforddd, gan gadw i'r lôn araf i ohirio'r funud y byddai'n dod wyneb yn wyneb ag Emlyn Hoskins. Yr oedd ei gyrru hamddenol yn rhoi cyfle iddi syrthio'n ôl ar atgofion dyddiau hapusach.

'Bore da, Miss Lloyd, croeso. Cofiwch 'fod ysgrifen-yddes drefnus yn rhan o ffyniant pob cwmni,' heb godi oddi wrth ei ddesg. Ag un llaw cododd y ffôn, a chyfeir-iodd hi at ddesg a theipiadur arno â'r llaw arall.

'Thenciw, Mr Hoskins,' wrth sgramblo i achub ei bag llaw yn ei nerfusrwydd.

Ar y cyfarchiad oeraidd hwnnw y blagurodd pymtheng mlynedd o wasanaeth gydag *Emlyn Hoskins, Seed Merchants*. Blynyddoedd o edmygedd swil o'r naill at y llall. Mewn amser asiwyd ei odrwydd mympwyol ef a'i natur oddefgar, gynnes hi yn gyfathrach annhebygol a edmygid gan rai o'r cwmni a weithiai yn sŵn gogran a didol tunelli o hadau a bylbiau yn y gweithdy llychlyd. Nid gan bawb wrth gwrs. Yr uchaf ei chloch oedd Maisie *Labels 'N string*. 'Sut y medr Dilys weithio hefo'r blydi sticlar ene, wn i ddim, hefo'i spats, a'i bloryn ar 'i drwyn a'i stelcian o gwmpas y warws fel blydi ffuret.'

'Dwyt ti na minne, Maisie, yn gorfod byw hefo'r fam gwynfannus sy'n cadw Dilys o dan ei phawen. Tase gan Dilys dipyn o blwc mi fydde hi'n taflu 'i hun i affle'r Hoskins Cadi Ffan er mwyn iddi ga'l byw 'i bywyd 'i hun.'

'*Speakin' for meself*, Jen, mi faswn i'n lluchio'r diawl i un o'i *Hygienic Self Sealing Sacks* o, a'i bacio fo i 'Ffganistan, ble bynnag ma' fanno.'

Roedd Dilys yn ymwybodol o'r mân siarad, ac yn cael ei phlesio, pe ond i'w helpu i anghofio am oerni'r aelwyd yn Pigyn Terrace. Bisgeden sunsur o'r drôr yn ei ddesg wrth iddi estyn ei goffi iddo, yn awgrym mud o'i gariad; a phan afaelodd yn ei llaw â brwdfrydedd dieithr ar ôl iddo arwyddo cytundeb proffidiol â chwmni yn yr Almaen, yr oedd hi ar ben ei digon. Ei chyfrinach hi, un nad oedd i'w rhannu â'i mam. Nid cwbl annisgwyl oedd ei gyfarchiad un Nadolig wrth roi anrheg iddi wedi ei lapio mewn papur brown. Dwsin o becynnau o hadau amrywiol.

'Sori am y papur brown. Anrheg fach. Ernes o'r dyfodol pryd y byddwch chi a mi yn rhannu gardd fach. Gyda'ch ystwythder chi, mi fedrwch balu'r borderi, a gyda gofal mi ro' inne help llaw hefo'r chwynnu. Gofid gwendid.' Miwsig i'w chlust. Ei choesau'n gwegian. Â thafod dew sibrydodd, 'Mr Hoskins, thenciw. Fedra i ddim gadael Mam yn 'i gwendid . . . Ma' gen i fforch yn y sièd . . .'

'Dim brys, Miss—Dilys—pleser fydd cael eich rhannu gyda'ch mam a dod i fy nhŷ i ambell bnawn. Mi fydda i'n rhoi'r busnes i fyny'n fuan . . . a mi gewch roi help llaw i mi . . . a dod i arfer â'r bwydydd arbennig y mae'r meddyg yn . . .'

Yn fyrbwyll gwyrodd Dilys y modur o ganol yr atgofion i ysgwydd galed y draffordd. Trodd y peiriant i ffwrdd. Anadlodd yn drwm cyn gollwng ei hun i lond bol o chwerthin afreolus. Ffustiodd y llyw yn galed a syrthiodd y dagrau â phendantrwydd diofal. Y ffŵl! Hei! Ie, ti Dilys, hurtyn! Y fo am dy gael at ei iws hunanol ei hun. Morwyn fach heb ei theipiadur. Y fo yn rhy wan, yn ormod o gachgi i dy briodi. Gohirio . . . tair blynedd . . . pedair . . . be di'r ots! Da-da-da . . .' a dechrau hymian 'Puppet on a String' yn filain.

Tawelodd ac edrychodd arni ei hun yn y drych bychan. 'Wel, Emlyn Hoskins, gwrach sy ar ei ffordd i'ch gweld heddiw.' Gwthiodd ei throed ar y sbardun yn galed, lluchiodd y car i'r lôn gyflym, gadawodd y draffordd ar gyffordd 23, a gwelodd ef yn sefyll yn syth, llonydd a thynn. Fel ymbarél. O ymyl y pafin gwyrodd ymlaen a chododd ei het yn araf. Temtiwyd hi i yrru'n wyllt heibio. Yr oedd yn gwenu'n llipa o neis wrth agor drws y car. Os deudith o, 'Unwaith eto . . .' Crensiodd ei dannedd.

'Wel, Dilys annwyl, unwaith eto . . .!' ond boddwyd ei eiriau pan refiodd hi'r peiriant yn galed a chodi cwmwl o fwg glasddu o gefn y modur. Roedd hi'n mwynhau'r casineb a oedd yn ei chorddi. Gyrrodd yn wyllt dros y bont, heibio'r Ffatri Optics, ar draws gwlad a thynnu i fyny ar ôl hanner awr o fân sgwrsio o flaen bwyty Tuduraidd yr olwg a safai ar lan nant.

Goddiweddwyd hi gan ysfa wirion i agor drws y car a'i daflu gerfydd ei war a thin ei drywsus i'r dŵr, yn union fel y byddai Dewyrth Ifan yn gollwng y defaid i'r pwll dipio.

'*Soak thoroughly in water before planting* mae o'n ddeud ar y paced yntê, Mr Seedy Hoskins!' wrth ymollwng i bwl o wichian sbeitlyd.

'Be ddeutsoch chi, Dilys, ma' 'nghlyw i'n gwanio,' gan gorlannu ei glust yn ei fysedd.

'A thorrwch 'i ben o i ffwrdd wedi iddo wywo,' rhwng crio a chwerthin.

Ymestynnodd Emlyn ei dagell grychlyd fel malwen yn sleifio o'i chragen.

'Ma'n dda gen i 'mod i'n rhoi pleser i chi, ar waetha'r poenau.' Syllodd Dilys arno'n hercian yn hunanfoddhaus at ddrws y bwyty cyn ei ddilyn yn anfoddog.

Arweiniodd hi at y bwrdd arferol, o afael unrhyw ddrafft, a gollyngodd ei hun yn sydêt i gadair o wiail gwichlyd. Cymerodd ei llaw.

'Mor hyfryd ydi hel atgofion melys am y . . .'

'Canfed tro?' Taflwyd ef oddi ar ei echel gan ei llais oer.

'Be gym'rwch chi?' a llygaid y weinyddes ar ddau lanc mewn lledr beicio a ddaeth i mewn.

'Yr un peth ag arfer? Te i ddau, plîs, te a lemon i mi, a dwy gacen neis—neis yntê, Dilys? Dim eisin ar f'un i.'

Rhythodd Dilys ar yr haelioni yn ei lygaid pan dynnodd barsel bach o'i boced. 'Anrheg fechan i ddathlu . . .'

'Am y canfed tro?'

Drwy flew ei llygaid rhythodd yn oeraidd ar y pecyn papur brown. Potel o *Sunrise Scent*, powdwr talc a chadach poced pinc a'r llythyren D wedi ei brodio yn y gornel. Mor ddiddychymyg ag erioed.

> Tase gen ti ddim ond un pecyn bach o hadau Glaswenwyn, Dil, (Scabious ar yr *invoice* yntê, Mr Hoskins) a'u cymysgu nhw hefo'r *scent* a'r talc, a lapio'r *job lot* yn yr hances cyn ei wthio i lawr corn gwddw'r diawl hunanol mi fydde'n fachlud arno fo beth bynnag.

Gwyrodd Dilys dros y bwrdd nes yr oeddynt drwyn wrth drwyn a ffril ei sgarff yn llyfu'r te lemon.

'Ddaru chi ddim ffonio—na galw.'

'Wel, y trefniant arferol, onide, doedd dim angen. Ma'r bil teleffon mor . . .'

'Pan fu mam farw.' Syrthiodd ei ên ar ei wasgod yn grynedig.

'Wedi'r cwbl, Dilys, cerdyn . . .' gan adael y frawddeg yn hofran rhyngddynt. Pletiodd ei wefusau'n annifyr. 'Peidiwch â'm hypsetio i ar ein diwrnod arbennig. Be sy?'

'Dim ond bod syrthio rhwng dwy stôl yn beth poenus, Mr Hoskins.'

Anwybyddodd, os sylwodd ar y dinc sardonig. 'Mi wn yn iawn, y boen yn fy nghoes dde yn ddirdynnol ambell ddiwrnod. Ma' gen i amser i . . .'

'Does gen i ddim, ma' gen i blant yn Affrica sy'n disgwyl amdana i. Ma'r patrwm gen i, a dipyn o hen edafedd.'

Rhythodd Emlyn arni'n gegrwth. Heb ffys, cododd Dilys ar ei thraed, gwthio'r parsel yn ôl i'w hafflau a cherdded allan ar ddydd Gwener y nawfed ar hugain o Fai.

Yr Yfory Pell

Profiad digon annifyr yw gwgu'n ffromllyd ar hen ffrind. Profiad llawer mwy difyr yw gwenu'n anogol ar ffrind newydd. Dyna deimlad Cyril wrth archwilio'n ofalus y moto beic yng nghefn y tŷ teras. Moto beic wedi gweld dyddiau gwell, mae'n wir, ond i Cyril, moto beic ac iddo bosibiliadau mawr. Roedd Cyril yn edrych ymlaen at ei ddiberfeddu a'i ddatgymalu, er mwyn cael cyfle i ddangos ei ddawn gyda pheiriannau. Prin bod sgwrs Cyril yn golygu llawer os na lithrid carbyretor, plygs, falfs a gêr-bocs i'r siarad. Fel olwyn y beic ei hun roedd bywyd Cyril yn troi o gwmpas ei freuddwyd i ddyfeisio gêr-bocs awtomatig, tebyg i gêr-bocs modur ei Ewythr Dic, Nissan Supreme Automatic. Byddai Cyril yn blasu'r geiriau yn anwesol, ac yn breuddwydio am y diwrnod y byddai Cyril Burke yn arddangos y model diweddaraf o'r beic rasio Burke Supreme Automatic 2000c.c. A Cyril ei hun yn ei siwt ledr, helmet enfawr, ac esgidiau wedi eu mowldio i siâp ei draed i ddiogelu cyffyrddiad ysgafn ar y brêc.

Er dyddiau ysgol yr oedd wedi gwirioni ar feics modur, a chafodd ganmoliaeth gan Mr Gruffydd am ei gasgliad o luniau ac ysgrifau yn *Fy Llyfr Prosiect* ar bob math o foduron. Ac er bod Raleigh a Matchless a Norton ymysg y ffefrynnau, y BSA oedd y gorau. Erbyn yr wythdegau yr oedd wedi anghofio am beth yr oedd BSA yn sefyll, ond yr oedd yn sicr y byddai'r Burke Supreme Automatic yn olynydd teilwng iddo. Y broblem ar y pryd oedd yr injan. (Fe geisiodd Mr Gruffydd ei ddarbwyllo i ddefnyddio'r gair *peiriant*, yn ofer, gan mai injan oedd gan foto beic go iawn.)

Rhwbiodd ei ddwylo seimlyd yn ei oferôl. Ei ddelwedd o beiriannydd oedd dwylo yn grest o iraid, oferôl llac a sbaner yn y boced frest. Llwythodd rannau o'r injan ar sach a cherdded i'r tŷ gyda gofal. Rhoes hergwd i ddrws y rŵm ffrynt, cicio cornel y carped a rhoi'r peiriant i orffwys ar y leino. Eisoes yr oedd darnau eraill o foto beic ar y llawr, y gadair wellt a'r bwrdd coffi. Ar y piano yr oedd llawlyfr, hwnnw hefyd yn seimlyd, a chopïau di-rif o *The Modern Biker*. Gwnaeth batrwm o'r darnau ar y llawr, gyda gofal gwraig yn cadw'r llestri gorau yn y cwpwrdd gwydr. Yn gwbwl ddifeddwl sychodd ei ddwylo eilwaith ar ymylon y cyrten blodeuog. Cerddodd ei fam i mewn o dan bwysau dau fagied o siopa o Starshop. Yn flinedig gorffwysodd ei hysgwydd ar ffrâm y drws ac ochneidiodd yn hir.

'Rydw i wedi glân 'laru ar y llanast yn y parlwr 'ma.' Fe fynnai Sylvia drws nesa alw'r stafell yn *lolfa*, am fod ganddi far coctel ac ail set deledu ynddi, ond i Morfydd Burke nid oedd lolfa yn gweddu i dŷ teras. Ac yn arbennig felly i rif saith deg Trafalgar Street, ym mhen isaf y dref, oherwydd bod hoffter anesgusodol Cyril o gronni unrhyw beth yn ymwneud â beiciau, o bob siâp a llun, yn y parlwr yn dinistrio pob celfycyn yn ei farn ef.

'Rwyt ti'n torri 'nghalon i, Cyril. Ma'n hen bryd i ti dyfu i fyny—bron yn ddwy ar hugain oed, heb waith, yn trin fy nhŷ fi fel garej ac yn chwarae hefo dy deganau fel tase nhw'n Hornbi trêns.'

'Ryw ddiwrnod mi fyddwch chi'n difaru i chi ddeud y fath beth. Pan fydda i'n ennill y *Grand Prix* i foto beics ac yn rhedeg 'y musnes . . .'

'Wnelo hynny o fusnes wela i, fase waeth i ti chwarae hefo treisicl ddim. Ma' Iolo bach Tegfryn wedi cael beic go iawn, mi ofynna i i'w fam gei di'r treisicl i ti gael gwneud *three wheeler automatic* ohono fo.'

O'r llawr cododd Cyril gylch o ddur. 'Fedr Iolo lyfnu'r cylch yma i *fifty mill* o drwch tybed? Mi faswn i'n falch o'i help. Peiriannydd ydw i, Mam, nid rhyw brentis hanner pan.'

'Mi hoffwn i wybod lle bwriaist ti dy brentisiaeth—os nad wrth y bwrdd pŵl yn y Flying Pheasant. Os nad wyt ti am chwilio am swydd a chyflog a chael gwared â'r lol yma—a hynny o fewn mis, bydd raid i ti hel dy bac a chwilio am lety yn rhywle.' Pwysleisiodd ei dicter drwy roi cic i rai o'r darnau dur.

'*Jeeze*, Mam, be gythrel sy wedi dod drostoch chi?' yn filain. Penliniodd i'w harchwilio'n fanwl. Ni allai ei fam lai na'i edmygu am ei hunanhyder. *Bombast* fyddai disgrifiad rhai o'i gyfoedion o gwmpas y bwrdd pŵl. Dim ond am arian y byddai'n derbyn sialens ac os collai, byddai'n troi'n gas ac yn mynnu arian.

'Hi! Phil, ti'n chwarae'n grêt,' wrth ei hanner gofleidio'n nawddogol. 'Ma'r *lolly* 'mbach yn brin heno. *I'll see you alright*, mêt. Sgen ti fenthyg *tenner* i mi? Rhaid i mi dalu am ddarn newydd i'r *two-wheeler* fory. Mêts 'di mêts yntê, Phil!'

Fe wyddai'r hogiau mai'r wanc am *fix* oedd y rheswm. A'i fam yn amau heb ddeall yn iawn. Arian yn diflannu, pelen ei lygaid fel pen pin, ac arogl ddieithr yn ei lofft. Chwiliodd am nodwydd yn ofer.

Fe wyddai Cyril yn union sut i'w thrin. Trodd ati yn edifeiriol, 'Iawn, Mam, cartre chi ydi o. Clirio'r cwbl. Papuro'r muriau. Dim mwy o saim ar y piano. Mi chwilia i am fflat i lawr wrth y cei. A mi fedrwch chi dalu'r rhent gyda meddwl tawel ma'ch aelwyd fach chi ydi hi. O.K.?'

Yr oedd ei ddatganiad mor rhesymol a'i agwedd mor gynnes fel na wawriodd arni am rai munudau mor gyfrwys ydoedd. Buan iawn y diflannodd ei gwên pan dreiddiodd y gair rhent i'r isymwybod. Roedd Morfydd Burke yng nghledr ei law. Rhent! Rhaid oedd iddi gydnabod ei bod yn dibynnu ar ei arian o—pan oedd ganddo beth iddi—i atodi ei phensiwn. Teimlai ei gwrychyn yn codi.

'Rhag dy gywilydd di yn dannod hawl i gartre i mi fy hun. Mi wyddwn i be oedd cyni gartre erstalwm ond mi ofalodd dy daid na fydden ni byth ar ein cythlwng. Ben bore ar gefn ei feic—cofio'r hen feic *fixed wheel* yn iawn—ar draws gwlad i ddilyn 'i grefft. A diwrnod tristaf ei fywyd oedd gorfod mynd ar . . .'

'*Fixed wheel!* Beic *fixed wheel?* Jôc, Mam. *Not poss*, Mam, fel y gall unrhyw beiriannydd ddeud wrthoch chi. Blydi el!' Gafaelodd Cyril mewn clipfwrdd a dechreuodd wneud nodiadau, a'r un pryd yn chwerthin yn sbeitlyd, '*Fixed wheel*! Hen feic penny farthing fy nhaid, myn yffarn'.

'Rwyt ti'n mynd yn rhy fawr i dy sgidie. Cofio'n iawn am 'y nhad yn trwsio twll yn y tiwb o flaen y tân, ond weles i 'rioed lanast na budreddi fel hyn ar yr aelwyd. Dyna ben arni, Cyril. Allan! Os na fyddi di wedi clirio'r cwbl o'r stafell yma cyn i mi ddychwelyd o gwarfod Merched y Wawr a thacluso—*OUT! ALLAN!* Ac os na chei di'r fflat rwyt ti mor siŵr ohono, mi gei afael ar focs neu ddau yn warws i lawr dre.'

Cerddodd drwodd i'r gegin o dan bwys ei siopa wrth

weiddi dros ei hysgwydd, 'Hyd yn oed os ydi hynny'n golygu gwario pob ceiniog o'r gelc fach sy gen i.'

Roedd trin y darnau metel fel gwneud jig-sô i Cyril, a bu'n chwarae â hwy nes iddo glywed ei fam yn cau'r drws ffrynt ar ei ffordd i'r cyfarfod. Arhosodd Cyril wrth y ffenestr nes iddi droi wrth y capel i Stryd y Farchnad. Ar ôl rhai munudau o chwilota yn y cwpwrdd gwydr, fe lapiodd bowlen o batrwm *Moorcraft* a'i lliwiau llachar plu ceiliog ffesant mewn bag plastig. Brysiodd o'r tŷ, neidio ar y bws a gadael y dref. Disgynnodd ar ôl croesi'r lefel crosin wrth yr odyn galch. Ar ôl mynd dros y gamfa dilynodd lwybr cul rhwng dwy ffawydden. Clywodd gi yn cyfarth yn y tŷ, ac arhosodd Cyril am eiliad i wylio tair pioden yn rhwygo nyth yn swnllyd. Oddi mewn i'r tŷ yr oedd sŵn symud pethau. Trawodd Cyril y drws deirgwaith yn galed, yna deirgwaith oddi mewn.

'*Carlo Glas.*' Agorwyd y drws yn araf.

'Hi, Samroc, ti 'di bod yn hela'r ddraig eto?' wrth sawru aroglau teml ddwyreiniol. Ffliciodd Samroc belen o ffoil i'r tân coed.

'Rhaid i mi ga'l *fix*, Samo. *Pot*?'

'Be di lliw dy arian di, mêt?'

'Blydi moto beic yn llyncu'r pres—dim arian o gwmpas y tŷ.'

'*Pusher* 'dw i Carlo, ddim y *Social Sec.* Be sy gen ti i hogio?'

Datgelodd Cyril y bowlen. 'O gartre Nain—ma' hi'n werthfawr. Gen Mam rŵan a dwi 'di benthyca hi am heddiw.'

'Gwranda, Carlo, chei di ddim llawer o *smac* am blydi bowlen. Perthyn i 'stalwm ma' honne. Deg—dyna'r cwbl.'

'Deg punt! Ti'n hurt! Gwerth hanner cant o leia,' yn prysur golli ei dymer. 'Dwi'n gwsmer da, Samroc.'

'Un *fix*. Amatur wyt ti, boi, *junkie* bach. Ac wsnos nesa, gei di'r bowlen yn ôl am ugain cwid. Be gymri di? *Pot*?'

Erbyn cyrraedd adre'n ôl yr oedd Cyril yn flin ac yn wancus. Clodd y drws. O blygion ei waled tynnodd allan becyn o bapurau sigarét. Yn fwriadus taenodd y powdwr gwyn yn ofalus drwy flaenau ei fysedd ar un o'r papurau. Dros y canabis sgeintiodd faco mân, a lapiodd y gymysgedd yn ofalus. Lapiodd y sigarét ei hun yn gyfforddus ar gadair cyn tanio. Tynnodd yn araf ac yn ddwfn ar y sigarét.

Diflannodd y piano i niwl llwydwyn. Yr oedd y
chwiban croch a oedd yn chwyddo ei ben yn arwydd
eu bod o dan orchymyn y cychwynnwr. Drwy'r
gwydrau lliw a guddiai ei lygaid a'i drwyn gwyliodd
y fflag â llygaid barcud. Y peiriant yn grwnan.
Bysedd yn dynn am yr handlen. BSA yn gwingo.
Fflag i lawr. Gwibio a gwau. Trac yn rhedeg rhwng
ei fysedd. Hwyaid gwylltion yn chwifio adenydd.
Burke yn fanllef o'r dorf. Concro. Gorchfygu'r
byd. Hollti amser. Chwyrlïo heibio hen foi ar gefn
beic. Cylchu'r byd. Jones Maths ar gefn camel.
Blas mefus ar ei dafod. Olwyn beic yn bownsio
heibio. Edrych i lawr ar y mynydd. 'Yn
gyflymach, Cyril,' ei fam ar y piliwn. Mor
ysgafn â phluen. Pluen biws. Teiars yn
sgrechian. Edrych i lawr ar y moto beic.
Dwylo anweledig wrth y llyw. Hofran.
Eistedd ar y cymylau. Gwefr. Banllefau.
Otomatig. Sgwariau. Fflag. Gwaedd. Uwch
adwaedd. Clec. Bag llaw ei fam ar

draws ei dalcen. Gwarth. Enillydd ras y
byd. Cwpan aur. Ffrwydriad potel
siampên. Trawiad caled bag llaw. Y beic
yn ddarnau o'i gwmpas. Y piano yn
mwynhau ei hun. Wel, rhywun â
phedair llaw yn chwarae tiwn gron.
Blydi hyrdi gyrdi, gyrdi. A'i ben yn
gwrthod aros ar ei ysgwyddau. 'Ble
ma'r nodwydd?' medda rhywun.
Coeden gwsberins o dŷ taid yn
syrthio. Pigiadau. Pigiadau. Tyllau.
Clec. 'Ble ma'r nodwydd?'
Gerfydd gwallt ei ben. Y bendro.

Yr oedd Cyril yn mwynhau edrych i mewn arno fo ei hun. Ei ben yn y cymylau a'i draed ar y ddaear. A'i fam mewn dau le ar unwaith.

'Ble mae'r nodwydd, y celwyddgi?' Nid oedd yn siŵr p'run o'r ddwy fam oedd yn ei drin mor anystyriol. Perchennog BSA yn gelwyddgi! Doedd dim amdani ond rhoi'r ddwy yn eu lle ar unwaith. Hon ar y chwith i gychwyn. Cododd a syrthio ar ei wyneb i ganol y darnau metal.

'Ar dy draed ac allan. Dos at dy ffrindiau Samroc a Fflapjac.'

Buan y llithrodd o'r hunllef o ddod wyneb yn wyneb â'r enwau cêl. Daeth ofn drosto. Un peth oedd twyllo ei fam, ond roedd bradychu'r lleill yn gofyn am drwbl. Blyff. Dyna'r ateb.

'Nodwydd, pa nodwydd? Fedra i ddim pwytho.' Crechwen lafoeriog.

'*Junkies*! Tydw i ddim yn ddiniwed. Mi wn i.'

'Dim ond sniff bach—*pot*—mor ddiniwed â lemonêd.'

'A phwy sy'n talu am dy ddiniweidrwydd di, sgwn i?'

'Y Wladwriaeth Les, Mam. Cyfrifoldeb y wladwriaeth ydi cadw bechgyn ifainc a dyfodol iddyn nhw. *Social Security*, Mam, *SECURITY*.'

'I feddwl mai diwrnod tristaf dy daid oedd mynd i seinio'r dôl.'

'Ffŵl! Ofn pobl, ofn cymdeithas barchus capel chi, a phwy ohonyn nhw ddaru gynnig help llaw? *I wonder*, Mam! Hel straeon, Amen. *Good old days*. Ryden ni yn y nawdegau, Mam, nid y tridegau. Pawb drosto ei hun. Oes Margaret Thatcher—plwc a phres a phrofiad 'te, Mam.'

'Mae'r tridegau mor agos i mi heddiw â Sadwrn d'waetha.'

'Ma'r nawdegau yn perthyn i mi, Cyril Burke—peiriannydd, dyfeisiwr—sefyll drosta fy hun, a sathru ar y lleill! Nid heddiw. Fory a fory a fory.' Be fyddai Taid yn ddeud—dafad â'r bendro!

'Wel, yn rhywle arall y mae dy fory di. Unweth rwyt ti yng ngafal dy lemonêd—drygs ydi'r gwir—rwyt ti yn 'i grafange o am byth—byth bythoedd. Fory a drennydd a thradwy a fory ar ôl hynny.'

'Ma' gen i gynlluniau, Mam. Amser . . . ffortiwn,' gan lenwi ei ddwylo â darnau o'r beic modur.

Rhythodd y ddau ar ei gilydd. Gyda phendantrwydd urddasol trodd ei fam i'w wynebu eilwaith.

'Mae dy yfory di yn rhy bell i mi fedru byw hefo fo. Cer.'

Cwymp Douglas Owen

Nid oedd y wên amyneddgar ar wyneb Nerys Owen yn adlewyrchu ei theimladau. Fe ddaethai i Ffair Haf y Clwb Criced yn erbyn ei hewyllys, ond ar wahân i hynny yr oedd y gacen siocled a wthiasai Lorna Hicks ar ei phlât papur wedi codi pwys arni. I goroni'r cwbl yr oedd Lorna Hicks yn un o'r merched rheini sy'n coleddu ffalsrwydd cyfoglyd ar gyfer amgylchiadau o'r fath. Yr *helô* gorgalonogol, drwyn wrth drwyn, y wisg haf yn chwyrlïo wrth sgipio o stondin i stondin, a'r fflyrtio powld gydag aelodau'r Pwyllgor. Wedi prynu tŷ ar y llethrau uwchben Llyn Brwynog yr oedd Cyril a Lorna Hicks. '*We abandoned the whirlpool of city life for the ripples of Welsh rustic ways*,' fel yr hoffai ddweud dros goffi yn y W.I. Nid oedd yn fyr o ddatgelu wrth ei chylch bach o gynffonwyr nad mater hawdd oedd penderfynu sut y gallent gyfrannu i fywyd y dref.

'*We thought of doing a few classes to learn your language*,' meddai eto drwy gwmwl o fwg sigarét, '*but Cyril and I felt that chivvying up your little Cricket Club would do the trick*.'

'Cytuno'n hollol, *I quite agree*,' sibrydodd Nan Evans, gwraig Iori Dunn Craft Shop a bátiwr gorau'r Clwb, '*the Club's been dead for years*.'

Llawn cystal na chlywodd Nerys y sgwrs gan mai Douglas ei gŵr oedd Llywydd y Clwb. A dyna'r unig reswm pam y daeth yn ddigon anfoddog i'r Ffair. Prin yr aeth i'r drafferth i dabio ychydig o golur ar ei hwyneb ar ôl gwisgo blows du difywyd cyn cychwyn.

Fe brynodd blanhigyn nad oedd ganddi hi na Marian

Richards syniad beth oedd, a phowlen ffrwythau felen am *twenty pi* i roi taw ar wrjio Miss Frupp ar Stondin Eliffant Gwyn. Gan nad oedd llawer o brawf o adfywiad honedig Mrs Hicks yn cael ei adlewyrchu yn y loetran o gwmpas y stondinau, y sgwrsio dioglyd a'r prowla dibrynu, fe chwiliodd Nerys am Douglas. Pletiodd ei gwefusau yn sbeitlyd wrth ei wylio'n rhuthro o stondin i stondin, yn rhinwedd ei swydd. Byseddu brysiog heb brynu, a thyrchu i bentwr o hen lyfrau, llwyau disglein a manion drôrs merched y Clwb, gan rannu jôc ddiniwed â'r merched a geisiai greu prysurdeb prynu a gwerthu trwy aildrefnu'r stondin yn ddi-baid. Rhaid oedd prynu rhywbeth ar ôl cymaint o bwyso ar eraill i gefnogi'r Ffair yn y pwyllgor olaf. Yn ei ffwdan cipiodd bâr o wellau â llafnau rhydlyd.

'Faint am hwn, Mrs Williams?' gan chwifio'r *secateurs* yn yr awyr i dynnu sylw. Ar unrhyw adeg arall Hilda fyddai hi, ond yr oedd Douglas yn ymwybodol o'i hunanbwysigrwydd ar amgylchiad fel hwn.

'Punt, ond mi gei di . . . mi gewch chi o am hanner can ceiniog—ar ôl yr holl waith.'

'Wel, rhoi amser ac arian at Achos sy'n agos at 'y nghalon i. Dyna gyfrinach llwyddiant ein Clwb ni,' gan anwybyddu'r pafiliwn di-baent wrth gerdded oddi wrthi yn bwysig. Pan welodd Lorna Hicks yn fflownsio i gyfeiriad y stondin Sbinio'r Olwyn, newidiodd ei gyfeiriad drwy nifer o symudiadau-dawnsio-ffurfiol digon trwsgl.

'*My dear Mrs Hicks*,' fel arweiniad i sgwrs gwbl arwynebol a phyliau o chwerthin swnllyd. Wrth gwrs yn ei galon fe deimlai Douglas nad oedd Lorna Hicks yn amlygu'r parch dyladwy iddo fel Llywydd y Clwb, pafiliwn a'i baent yn pilio ai peidio. Nid oedd yntau i wybod bod Lorna Hicks wedi bod yn canfasio drwy ei llygaid mawr gleision a'i bronnau hael yng nghwmni dynion y Pwyllgor i sefydlu Cyril fel Llywydd. Onid oedd o wedi bod yn gapten un o dimau'r Minor Counties? 'Fi gweld chi pnawn, Douglas,' wrth wthio bys i hollt ei ên. Trodd Lorna yn flysig at y nesaf fel pry copyn yn rhwydo gwybedyn. Cerddodd Douglas i gyfeiriad Nerys a golwg hunanfoddhaus arno. Fe ddaeth hi i'r casgliad wrth wylio'i gamau bras fod ei hunanbwysigrwydd mor chwyddedig â *sixer* ar y maes unrhyw bnawn Sadwrn.

'Bargen arall gwbl ddiwerth, siŵr gen i,' gwaeddodd yn slei i dynnu sylw rhai o bobl yr ymylon o'i chwmpas. Sgwariodd Douglas ei ysgwyddau yn heriol, cododd ei law i gyfeiriad Gari a syllu'n weddïgar ar y cymylau bygythiol ar orwel *square leg*. Sythodd o flaen Nerys. 'Oedd raid i chi droi i fyny fel'na?' gan edrych i lawr ei drwyn ar y mac plastig a'r rhwyg wrth y boced. 'Clwb Criced Meriel ydi hwn, nid Te Pnawn Capel Saron.' Pliciodd ei fwstas yn foddhaus i gadarnhau'r ffaith ei bod ar dir cysegredig. Hyrddiodd Nerys ei sodlau'n galed i'r ddaear wrth groesi'r llain cyn cyfarch Jeff, y tirmon, a oedd yn rhowlio'r canol yn flinderus.

'S'mai, Jeff,' wrth dynnu hen het wellt ridyllog oddi ar ei ben a'i tharo ar ei chorun ei hun. Chwyrnodd Douglas yn flin wrth wylio ymddygiad anystyriol Nerys. Plentynnaidd yn wir. Nid oedd ond yn gobeithio nad oedd Mrs Hicks a'i chlic yn gwneud sbort am ei ben o risiau'r pafiliwn. Heblaw hynny, methodd Jeff â sgorio cant o rediadau unwaith yn ystod ei flynyddoedd fel batiwr. A dyma fo yn rhowlio'r wiced mewn jîns a threinars. Ysai Douglas am yr awdurdod a feddai fel Capten yn y *Fifth Welch* pan groesodd y Rhein i fuddugoliaeth. Byddai wedi llusgo Jeff o flaen y Cyrnol cyn y medrai ddweud, '*By the right!*' Ym mrwdfrydedd atgofus y tri phip ar ei ysgwyddau gwaeddodd, '*Keep it straight, Brown*,' ac mewn islais, '*Quick march*, adre!' Gwthiodd ei wddf allan fel clagwydd bygythiol wrth frysio at y Montego a'i lythrennau CCM ar y plât rhif. Fe dalodd £250 amdano. Ni rannwyd gair rhyngddynt wrth yrru at y byngalo dormer a adeiladwyd ar safle'r Barics. Yr oedd pwll pysgod yn yr ardd a chlematis yn hulio'r ffrynt. Brysiodd Douglas o flaen Nerys drwy'r drws tîc a'r enw TAWELFAN wedi ei sodro arno. Yn y fynedfa taflwyd ef ar ei sodlau gan synau byddarol y darseinyddion yn y lolfa. Lled-orweddai Meinir ar y carped, ei thraed noeth yn ymestyn allan o'i jîns pinc, a'i bysedd yn dynwared rhythmau'r grŵp ar wyneb gwydr y bwrdd coffi. Yn ei siaced *blouson* o gotwm glas, botymau pres a leinin rhesog, gyda belt gwyn llachar wedi ei fachu â bwcl mawr, fe fyddai lolian ar ddec iot wedi bod yn fwy real. Anwybyddodd Meinir bresenoldeb ei thad. Rhedodd ei bysedd yn araf drwy'i gwallt a lithrai'n fwriadus o flêr dros ei hysgwydd chwith. Bu'r sŵn a'r osgo yn ormod i Douglas.

'Pam gythrel na wisgi di y cyrn plastig 'ne dros dy glustie—digon i roi cur pen i'r gymdogaeth.'

'Hi, Mam, mae'r Llynges wedi docio.' Â saliwt gomic llithrodd yn hyderus ar ei thraed a diffodd y sŵn cyn cerdded ar draws y stafell gydag osgo esmwyth model mewn sioe ffasiynau, ei dwylo'n llipa ym mhocedi'r slacs. Taflodd gap morwr ar ei gwar.

'Rhowch eich barn, Mam, hon ydi'r drydedd yn y set o bedair owtffit sy raid i mi eu creu cyn diwedd y tymor. "Yn y Llynges" ydi teitl hon, ond yr ail . . .'

'Fel tase'r Fyddin ddim digon da, dy dad wedi rhoi pum mlynedd o'i . . .'

'Ta-ra-ta-tat—ta-ra-dee-dee,' fel biwglwr, 'dech chi fel tiwn gron, Dad.' O ddrôr y biwro a gedwid o dan glo, fe gymerodd Douglas flwch hirfain o ledr glas a'r llythrennau CCM wedi eu goreuro ar y clawr.

'Rŵan, Nerys, y Gadwyn.' Cododd y gadwyn arian yn ofalus o'r blwch a'i harddangos yn bwysig. Cylch o fathodynnau crwn ac ynydau Cyn-Lywyddion ar bob un, wedi eu cydio wrth un bathodyn yn y canol, a'r llythrennau CCM arno. Anadlodd yn dyner dros y prif fathodyn cyn ei rwbio'n ofalus â'i hances boced.

'Fe sylwch eich dwy bod DCO wedi ei stampio ar naw o'r bathodynnau, a'r degfed i'w ychwanegu eleni,' yn fostfawr, a'i ên yn cystadlu â'i fol. Edrychodd y ddwy ar ei gilydd. Yr oedd eu distawrwydd yn ei gythruddo, a throdd at Nerys yn flin, 'Dowch, wraig, y Silvo a'r dystar glân—eich dyletswydd flynyddol—Douglas Cledwyn Owen—Douglas Criced Owen,' a thinc o fodlonrwydd hurt yn ei lais.

'Mae ene fwy o sglein ar din y llodrau gwynion 'ma yr ydech chi mor hoff o'u gwisgo wrth rannu'r brol hefo'ch clic cricedol, os oes ene'r fath air.'

'Nid dyma'r diwrnod i wers Gymr . . .'

'Bowndari i chi, Mam. Ma'n hen bryd i Mam ga'l dilyn ei diddordebau 'i hun yn hytrach na bod yn hogyn y bêl i chi a'ch criced.'

'Llai o dy dafod. Dyma ddiwrnod pwysica'r flwyddyn i'r Clwb Criced. Estyn croeso i Dîm y Sir—nid rhyw ail dîm Cae Slwtsh. Araith fer ac i bwrpas fel arfer a'r gadwyn dros fy 'sgwydde yn rhoi i mi'r urddas dyladwy.'

Am eiliad disgwyliodd y ddwy am saliwt ond methasant â dal a llanwyd y stafell â chwerthin amharchus. Syllodd yntau arnynt yn gegrwth, ei fochau'n chwydd cochddu a'i urddas yn deilchion.

'Grêt, Dad, mi fasech chi'n gwneud comic ffab mewn panto—Cled Criced,' a dechreuodd ddawnsio jig wrth hymian sianti'n ysgafn a heriol o dan drwyn ei thad.

Mewn llais briwiedig trodd Cledwyn at Nerys a'r gadwyn yn ei law.

'Rydech chi wedi hen arfer polisio'r tsiaen i mi.'

'Tsiaen ci bach Mrs Hicks,' sibrydodd Meinir drwy ei dannedd.

'Na, tydw i ddim yn dod i'ch jamborî chi, a tydw i ddim yn mynd i gaboli'ch trimins chi chwaith. *Retired, nine not out*, Douglas.' Bu bron i Nerys ildio pan welodd y glafoerion yn driblan dros ei wefus ar lesni blesar y Clwb. Achubwyd hi gan Meinir.

'*Het Jac Tar* ydi teitl fy ffeil i ac mae'r patrymau a'r manylion ynddi—Fflat Huw Puw, Llodrau Môr-leidr, Columbus a hon—Yn y Llynges. 'Wele'n cychwyn dair ar ddeg' fydd y miwsig yn y cefndir, ac un o hwyliau iot Gwyn Pari yn gefnlen. A syrpreis—mae gen i diced i chi, Mam. Mi ddowch?' yn hyderus. Drwy'r tawelwch fe glywent ganeri Miss Vaughan drws nesa yn trilio'n llawen. Gwenodd Nerys yn foddhaus.

'Mae elfen y môr ynot tithe, fel finne, Meinir.'

'Fel gwraig y Cadeirydd mae dy fam yn dod hefo mi i dderbyn ein gwesteion wrth y bwrdd te yn y Pafiliwn.'

'Peidiwch â siarad blydi nonsens, Dad. Mae Mam yn dod hefo mi i fwynhau'r Sioe Ffasiwn—penllanw dwy flynedd o waith yn y Poli. Ewch chi yn gwmni iddi hi i gwarfod Merched y Wawr? Rêl hogyn bat a phêl dech chi, Dad.'

Drwy lygaid gleision direidus gwyliodd Meinir ei thad yn gwegian wrth roi ei bwys ar y piano. Ymdrechodd Douglas i'w amddiffyn ei hun.

'Poli? Pyncs allwn i feddwl! Am flynydde mi gedwais fy mys ar byls y Clwb . . .'

'Gwyliwch eich pyls eich hun, Dad, rhag i chi gael strôc.'

'Strôc neu beidio, Douglas, fydda i ddim wrth eich ochr chi. Mae Meinir yn ca'l y flaenoriaeth heddiw.'

Llithrodd y gadwyn drwy fysedd Douglas. Yr oedd ei wyneb gwelw yn atgoffa Nerys o fadarch crimp ar gownter siop werdd Iestyn.

'Merch y môr fûm i erioed, Douglas,' gan daflu ei phen yn ôl i sawru arogleuon yr heli ar draethau Aberdaron. 'Jolihoitian wrth hidlo'r tywod rhwng bysedd fy nhraed, benthyca cwch Jos Sgaden hefo'r genod i ni gael nofio'n noeth yng nghysgod Craig Bygddu, a'r hogie'n sbecian drwy sbinglas Ossie Awel y Môr. Ma' gen Ossie iot erbyn hyn, *Yr Wylan Wen*, ym Marina Pwllheli. Taswn i wedi gwrando ar Ossie, yn torheulo ar y dec y baswn i y pnawn 'ma, Douglas, ac nid fan hyn yn gwrthod polisio tsiaen ci bach Lorna Hicks.'

Wrth blygu i godi'r gadwyn udodd Douglas fel hen gi unig. Anelodd Nerys hergwd at ei feingefn wrth ei ddynwared yn wawdlyd,

'Pwyllgor y Clwb Criced heno, Nerys. Agenda lawn.'

'Pwyllgora, wir dduwch, yn sedd gefn Honda Automatic Lorna Hicks! Dech chi'n destun sbort y Clwb. Y chi sy ar otomatic peilot pan ma' Lorna Hicks o gwmpas.'

'Whaw, Mam,' drwy chwerthiniad nerfus. Cofleidiodd hi'n gynnes.

Drwy ei harddegau yr oedd ymddygiad haerllug ei thad

at ei mam wedi merwino nwyf Meinir. Amheuai winc yr hogiau, dilornai eu fflyrtio a gwrthodai eu sigarennau. A'i naïfrwydd yn ei pherswadio ei bod yn amddiffyn ei mam. Tan heddiw.

'Ffab, Mam. Wela i chi am hanner awr wedi saith,' wrth ddiogelu plygion y gwisgoedd.

'Reit, del. Ie, Douglas, rydw i am wyntio tipyn o Ffab y bobol ifanc heddiw. Mi ffeindiwch y dyster siami yn y drôr a'r Silvo ar y silff. Cofiwch olchi'ch dwylo ar ôl gorffen. Fynnwn i ddim i Mrs Hicks sylwi bod eich dwylo chi'n drewi.'

Cerddodd y ddwy allan yn dalog.

Wel am Sbort

Yr oedd William Hugh yn rhan o'r dodrefn yn y tyddyn, a'i wyneb mor arw â'r hen ddistiau derw. Ffermdy unig ar lethrau'r Cilgwyn oedd Foty Henri, a llwydni'r garreg wedi ymdoddi i flinder gwelw'r llethrau. Yn union fel garan ar ungoes yn nhawelwch diog Nant y Meudwy. Am wyth deg o flynyddoedd bu'n crafu bywoliaeth o'i naw acer. Byddai'r gwynt yn deffro ar gopa Pen Cader cyn carlamu dros y ffriddoedd lle torrai William Hugh yr eithin a'r rhedyn, a gadael tafell o sglein tegell copr ar ei fochau. Yn ei esgidiau hoelion fe deimlai'n fwy cartrefol rhwng rhesi o swêj nag ar garreg las y gegin. Nid oedd y gadair freichiau a'r gwely sbrings a'r twca, a ddefnyddid gan ei dad erstalwm i ladd mochyn, ond petheuach na allai yn hawdd wneud hebddynt. Ond yr oeddynt yno i'w groesawu i gegin oer ar ôl rhynnu wrth blygu gwrych neu wrjio'r hen gaseg i gyrraedd y dalar cyn nos.

A thros gefn y gadair y taflai'r sach a lusgai dros ei ysgwyddau, a'i bachu â hoelen, cyn cychwyn allan yn y bore. Fe deimlai'n gartrefol yn ei chwmni, hi a anwesai ei wyneb â'i chraster wrth iddo brysuro yn ei gwman dros y ffridd i lygad y gwynt. Yr oedd arogleuon dillad gwlybion a hen sach yn socian o flaen tân coed yn ei glosio at atgofion am y gorffennol. Nid bod sentiment yn ei gorddi, ond yr oedd ei lygaid fel gimbillion yn amau'r byd yr ochr draw i'w glawdd terfyn.

Lisi Meri ei chwaer oedd achos yr amheuon. Er eu bod yn efeilliaid yr oeddynt mor wahanol â doli glwt a mwnci pric. Hi oedd cannwyll llygad William Hugh a byddai wrth ei fodd yn gwrando arni yn canu'r hen alawon wrth gorddi. Hi a ofalai am ddysglaid o siot iddo cyn amser gwely a hi a ofalai am arian y tyddyn, hynny fyddai ar gael ar ôl gwerthu'r gwlân a'r perchyll.

'Hei, mwrddrwg, cer i'r siop i chwilio am fargen,' yn ei llais tynnu coes.

'Eh, hanner cant o furum a dwy lath o siwgr lwmp ar gyfer pobol ddiarth,' a'i chwerthin fel cerrig mân mewn gogor. Gwyliodd hi'n sgriblo ar waelod yr ordor,

Y Traethodydd i mi ac owns o faco Caer iddo fo.

Ac ar ôl godro a swper cynnar fe eisteddent oddeutu'r tân. Ar ôl plethu sbilsen o hen rifyn o'r *Seren*, fe lenwai Lisi Meri ei chetyn yn hamddenol, a William yn troi tudalennau'r *Traethodydd* yn fyfyriol. Fe wyddai hi nad oedd o'n deall llawer o gynnwys *Y Traethodydd*, a gwyddai yntau mai ei natur heriol a'i hawydd slei i daflu llwch i wyneb parchus yr ardal a barodd iddi hithau ddechrau smygu. Nid oedd taw ar eu giglan cynnes wrth aros i'r cloc, a oedd bob amser awr yn fuan, daro amser gwely. Nid oedd galw am i'r un o'r ddau ddweud, 'Nos dawch', yr oedd crecian y grisiau yn siarad drostynt.

Tan yr ail ddydd Mawrth o Fai, pan ddychwelodd William o'r Ffair, cribin o Siop Co-op ar ei ysgwydd a chnegwerth o daffi triog ym mhoced ei smoc i'w chwaer. Synhwyrodd fod rhywbeth o'i le pan welodd y ddwy fuwch yn loetran wrth giât y buarth. Arferiad Lisi Meri oedd godro'n gynnar cyn i'w brawd ddod adref er mwyn iddynt gael hel straeon dros gacen radell.

'Lisi Meri?' wrth gythru ar draws y buarth, i'r sgubor a'r briws. Yn y bing y cafodd hyd iddi yn gorwedd mewn pwll o waed. Yn ôl ei harfer aethai i hel wyau i'r daflod. Roedd ganddi feddwl mawr o'i Wyandots. Pan anwybyddodd lacrwydd y talcen yn gwegian oddi tani, fe'i tynnwyd i lawr gyda'r gwair. Syrthiodd ar lafn y gyllell wair a gadwai William yn fforch y trestl llifio.

'Lisi Meri!'

Rhythodd yn ofer. Yn gegrwth chwiliodd am eglurhad ym melynwy pedwar o wyau wedi ceulo gyda'r gwaed. Yn orffwyll ciciodd y gwair dros ei chorff. Yr oedd wedi llofruddio ei chwaer.

'Lisi Meri, ddyliwn i ddim, sut y medrwn i fod mor ddi-feind?'

Taflodd y cnegwerth o daffi i'r hwch ar y buarth cyn rhuthro'n feddw i dŷ Jac Soar.

Gwrthododd fynd i'r angladd. Yr unig fan y gallai fyw â'i euogrwydd oedd ar ei dir ei hun. O'r hen fasged wellt yn y llofft cododd het galed ei dad, cerddodd at y gamfa wrth dalcen yr odyn a gwyliodd bedwar o'i gymdogion yn cario'r elor yn dringar ar eu hysgwyddau wrth frwydro yn erbyn y goriwaered. Crensiodd ei ddannedd wrth wrando ar gri faleisus cornchwiglen. Pan gyrhaeddwyd y gwastad codwyd yr arch ar ysgwyddau eraill a chariwyd Lisi Meri o'i olwg. Am rai eiliadau mwydodd ei hun yn unigedd y distawrwydd cyn taflu'r het i'r gwrych a throi ei gefn ar yr ardal.

Glynai wrth ei gynefin fel gelen, brysiai'n llechwraidd i'r siop—'g'newch yr odor fel y bydde Lisi Meri'n deud'—a sleifio i gefn y capel yn anfoddog o dro i dro. Anogai ei euogrwydd i ymledu fel madarch dros y tyddyn, drwy'r dryslwyn, i'r adeiladau ac i blygion y sach ar gefn y gadair. O fewn eu terfynau y brwydrai i fyw ag ef ei hun. Anaml y byddai'i gymdogion yn codi'r glicied.

'Dech chi mewn, William Hugh?'

'Eh?' Yr oedd mor groesawus â grât oer.

Cnoc gynnil a styrbiodd ei gyntun ar ôl cinio cynnar un diwrnod trymllyd. O blygion ei grydcymalau sythodd yn gyndyn, tarodd ei gap ar ei war a lled-agorodd y drws.

'Eh?'

'Mr William Rees?'

'Eh?' gan syllu'n unllygeidiog drwy'r hic.

'Prydderch Rhys ydw i . . .'

'O'r Cownsil dech chi?' yn amheus.

'Nage, o'r ysgol . . .'

'Eh,' gan gulhau'r rhigol. 'Diaw, does dim galw am blismon plant yma.'

Llais fel graean yn dianc o flaen y llanw ar Draeth Morlais, meddyliai Prydderch. Nid hawdd fydd darbwyllo'r hen foi.

Wir, fe edrychai'r hogyn yn un digon clên. Ond be gythgam oedd a wnelo fo â'r ysgol? Dim ond y mis diwetha y darllenodd o yn *Y Traethodydd* am ryw sgiamio newid pethe hefo compiwtors, be bynnag o'dd rheiny. Falle bod y llefnyn 'ma yn dipyn o sgolar, a bydde ca'l esboniad yn help.

'Wel, piciwch i mewn,' gan edrych yn ymddiheurol dros ei ysgwydd ar lwydni blêr y gegin. Cerddodd o'i flaen gan wthio'r sach o dan y gadair freichiau, y fowlen fenyn i'r dresar—'cer odd'ma Mot'—a gadawodd *Y Traethodydd* ar y bwrdd. Dim ond i gyfro'r rhwyg yn yr *oil-cloth* wrth gwrs. 'Steddwch, lle medrwch chi.'

'Ma' gen i griw yn eu harddegau sy'n dilyn cwrs mewn astudiaethau cymdeithasol a themâu moesol, a rydw i am iddyn nhw gyfathrebu . . .'

'Eh,' a'i lygaid yn culhau'n amheus. Anghofia'r *jargon*, Prydderch.

'Meddwl o'n i y bydde'n brofiad i'r plant o'r Dosbarth Uwch ga'l sgwrs hefo chi—ffarmwr, gwerinwr,' mor ddiniwed ag y meiddiai.

'Dim ffiars o berig, 'ngwas i . . .'

'Pedair o ferched bywiog . . . a del, Mr Rees.'

'Fuo ene 'run ferch ddel na hyll dros y trothwy ers pan gollais i'n chwaer, Lisi Meri—efell—ar wahân i Jen Ifans i morol am y golchi.'

Cydiodd yn y pocer a rhoddodd broc herfeiddiol i'r tân. 'Fi lladdodd hi, w'och chi.' Prociodd Prydderch y distawrwydd wrth chwilio am esboniad.

Camgymeriad, Pry, ma' fo'n drysu, dim yn saff anfon genod yma. Eto, ma' fo'n reit naturiol, osgo caled, a rhyw gynhesrwydd hiraethus tu ôl i'w lygaid o. Gwyliodd lygoden yn sgrialu i'r cefn.

Dilynodd William Hugh hynt y llygoden i'r bwtri. Be aflwydd ddoth drosta i, cyfadde wrth ryw ditshar prin allan o'i glwt! Gwthiodd joe o faco rhwng ei ddannedd. Doedd ganddo fo ddim calon i ganslo'r ordor ar ôl Lisi Meri. Taniodd boeryn fel saeth i'r bwced glo.

'Fedra i byth fadde i mi fy hun. Grym arferiad. Taro'r gyllell torri gwair o'r daflod yn barod i'w hogi. Anfaddeuol. Dim esgus. Ma'r ardal â'i llach arna i byth er hynny. Damwain hollol.'

Cnodd yn fyfyriol. Poerodd i lygad y tân. Yn sŵn y tasgu closiodd y ddau at ei gilydd.

Yn union fel y byddai tasgu a ffrwtian y badell ffrio yn closio Lisi Meri ac yntau i gynhesrwydd hwyliog yr aelwyd ar nos Sadwrn. Sleisen o horob yn ffrio'n swnllyd ar dân coed, Lisi Meri'n canu'r hen alawon, tynnu coes gwirion a giglan ei chwaer yn creu nefoedd fach. Cannwyll ei lygad. Rafio a smôc. Yn annisgwyl goddiweddwyd ef yng nghwmni'r dyn diarth 'ma gan ysfa od—*od*, ie, dyna'r gair, am gael clywed chwerthin yn tasgu o'r distiau unwaith eto.

'Ie, wel, Mistar. Be ddeutsoch chi? Ie, jest am unwaith jest galw.'

'Mi fydd yn brofiad diddorol i'r genod, ac . . .'

'Dos odd'ma, gi, o dan draed,' yn filain ei fod wedi cyfaddawdu.

Od. Od iawn. Am dridiau llithrai'r gair dros wefusau William Hugh.

Dychwelodd yr amheuon a'r euogrwydd. Bradychu ei chwaer. Fe glywai'r ardal yn crechwenu. Ond mi fydde'n braf llenwi'r gegin hefo dipyn o chwerthin. Hufen yn y pwdin reis.

'Damio, be ddoth drosta i?' gan roi hergwd i'r ci fore Mercher. 'Rhyw ffifflod mor wirion â heffrod, wir dduw, yn dod yma i greu styrbans.' Atseiniodd y gnoc dawel fel cnul drwy'r tŷ. Fferrodd, a'i bwys ar y dresar. Piciodd i'r briws i nôl dim byd, rhedodd ei fysedd drwy flewiach ei ben, a lled-agorodd y drws.

'Eh.'

Synnwyd y pedair gan ddieithrwch y cyfarchiad a'r llais cras.

'Hi, Mr Rees.'

'Hei, be, 'sdim rhaid i chi weiddi. Tydw i ddim yn fyddar, mwy na'r hen gi 'ma,' mewn llais amddiffynnol o flin.

'Helô, 'te. Dwad am sgwrs o'r ysgol. Neis eich gweld chi.'

Yr oedd llais Haf yn fwy cynhesol. Llais cwstard ŵy. Run fath â Lisi Meri.

'Fel melfed,' sibrydodd wrth neb. Gwenodd y merched yn nerfus.

'Diaw, waeth i chi ddod i mewn,' gan daflu cip o euog-rwydd i gyfeiriad y sach ar gefn y gadair.

Fel defaid cyndyn o gamu i geg y gorlan, buont yn loetran am rai munudau cyn cerdded i'r gegin lwyd. Yn bedwarawd clòs safasant wrth y dresar. Clymu bysedd i rannu'r dieithrwch trymllyd. Y llonyddwch blêr yn ddir-gelwch i frwdfrydedd yr ifanc.

'Mr Rees, den ni'n pedair yn ffrindie yn 'rysgol—Dos-barth Pump.'

'Eh,' wrth rythu drwy flew ei lygaid, fel tase fo'n chwilio am nod clust.

'Llinos ydw i, a Nansi—ma' tad Nansi yn stwffio adar.' Ffrwydrodd y pedair mwn cwmwl o chwerthin afreolus a lliniarwyd eu hanesmwythyd.

'Llinos, am beth gwirion i'w ddweud,' baglodd Haf dros stôl odro.

'Gofyn iddo fo oes ganddo fo iâr i dy dad ga'l 'i stwffio, Nans.'

Syrthiasant yn barsel i freichiau ei gilydd. Rhywbeth i guddio'r embaras. Yn ddigon trwsgl ymledodd William Hugh sach dros y bwrdd, fel pe'n amddiffyn ei diriogaeth.

'Lisi Meri'n chwaer ydi . . .' ac aeth yn hesb. Yn ofer edrychasant amdani. Eisteddodd Gwenda ar gadair wellt, a llanwyd yr ystafell â chrecian bwganaidd. Neidiodd i afflau Llinos a lluchiwyd eu gwichiadau genethig i'r distiau. Sleifiodd Mot allan a'i gynffon rhwng ei goesau.

'Eh,' wrth edrych o gwmpas yn ffwndrus. Roedd y lefrod ifainc 'ma yn ormod iddo. Wrth sylwi ar ei bryder, ailadolygwyd yr ystafell ganddynt.

'Hei, dim teli genno fo, dim teli.'

Troisant eu golygon i bob cornel yn anghrediniol. Sobrwyd hwy.

'Dim teli,' fel corws mewn trasiedi Roegaidd. Yn gegrwth dechreuasant archwilio'r creadur cyntefig hwn. Ac yn eu hardal hwy!

'Styffîg ydi cario dŵr o'r ffynnon—dŵr glân yn y stên yn y briws, eh.'

'Fflip, 'di hwn ddim yn siarad Cymraeg go iawn,' sibryd-odd Llinos yn ymddiheurol. 'Be di briws?'

'Wel, y *shambles* 'ma ryden ni'n 'i ganol o rŵan,' sylwodd Haf yn sbeitlyd.

'A pha mor gywir ydi dy Gymraeg di? Cartre'r hen foi ydi'r *shambles* 'ma iddo fe. Fyddi di ddim yn gwrando ar Miss Niclas, "mae diogelu'r traddodiad Cymraeg yn y cartre, ac yn yr amgylchiad, yn gyfrifoldeb ar bob un ohonom". Cymru am byth an' ôl that.'

Roedd dynwarediad Nansi o gyflwyniad Plwmsan eu hathrawes yn ddigon i godi pwl arall o giglan.

'Eh,' gan brocio'r tân yn swnllyd. Roedd y chwerthin iach yn creu rhyw ystwyrian annifyr yn ei fol. Ac yn esgor ar chwerthin pell, pell o giglan heintus Lisi Meri.

'Dim teli, Mr Rees,' a thinc weddigar yn llais Haf.

'Telifishion dech chi'n sôn amdano fo,' yn falch eu bod yn deall ei gilydd ar un peth.

'Teledu i ni, Mr Rees. Gwenda a fi yn perthyn i Gymdeithas yr Iaith.'

''Run fath â Chinio'r Co-op erstalwm. Diaw am hwyl, shew iawn, cyllell a fforc, a . . . ' ond boddwyd y gweddill gan hwyl y genod wrth deimlo eu bod yn closio ato. A William Hugh yn sylweddoli y base fo'n medru crio, tase fo'n gwybod sut. Gwthiodd *Y Traethodydd* i blygion ei fresys i guddio'r embaras. 'Briws,' mwmialodd Haf drwy ei dannedd.

'Fase chi'n joio—enjoio—(dim ond i godi gwrychyn Nansi) Cerrig Melys, tase gennoch chi *television*, Monsieur Rees.'

'Cerrig Melys? Be wyddoch chi lefrod ifinc am garega? Mi wlyches i yn amlach at fy nghroen, a thrwy'r hen sach ene, wrth garega ar y weirglodd.'

'Na, Mr Rees. Grŵp ydi Cerrig Melys. Grŵp hefo gitâr a *synth* a . . .'

'Harmoniym? Lisi Meri'n arfer chware'r harmoniym yn y gornel 'cw. *Blaenwern* o'dd i ffefryn hi—damwain oedd i mi 'i lladd hi, w'och chi—'nhad yn arfer chware'r cornet yn band yr *Oddfellows*.'

'Hei, genod, ma' fo off 'i blydi rocyr. Mynd odd'ma 'di'r gore i ni,' a thaflodd Gwenda ei hanorac werdd dros ei hysgwyddau. Ond pe byddent yn sylwgar buasant wedi dal y cryndod cynilaf o wên yn crychu bochau William Hugh. Diaw, tydi'r hen le 'ma ddim cweit mor wag y bore 'ma.

'Oes un ohonoch chi am roi tiwn i mi—jest i gofio,' a chythrodd yn annaturiol o sbriws at yr harmoniym, chwythodd y llwch oddi ar y caead cyn datgelu rhes o allweddau melynion. A'r merched yn closio o'i gwmpas yn chwilfrydig, gwthiodd ei droed ar y pedal a'i fysedd ar yr allweddau. Llanwyd y gegin â seiniau aflafar. Ni feiddient edrych ar ei gilydd wrth geisio cadw wyneb syth.

'Fel pibgod o Ynys Skye—mae'n wahanol i . . .'

'Hei, ro soc ynddo, Gwenda. Paid â'n borio ni hefo dy draethawd prosiect cerdd,' a gwthiodd Llinos ei bysedd i'w chlustiau. Ond nid oedd taw ar rygnu William Hugh, ac fel pe'n anymwybodol o bresenoldeb y merched, dechreuodd ganu'n gryglyd,

'*Nef a daear tir a môr sydd yn datgan mawl* . . . Tyrd, Lisi Meri, mi wyddost y geiriau.'

Trodd ei olygon at y gadair freichiau, lle'r arferai Lisi fwynhau smôc ar ôl swper. Nid oedd golwg amdani, ac edrychodd o'i gwmpas gan roi penrhyddid i'w fysedd ar yr allweddau. Daliodd gip o'r edmygedd a'r syndod a'r ofn yn llygaid y merched. Aeth ei fysedd yn llipa a llanwyd y gegin â distawrwydd llethol cyn storm o daranau. Od. Od iawn. Y tyndra yn ei frest, fel argae ar fyrstio. Llithrodd yn ei gwman ar y stôl. A'r genod 'ma'n gwneud i mi deimlo'n gynnes, a'r gegin 'ma'n fyw. O rywle tu ôl i'w asennau teimlai glamp o ochenaid yn gwthio ei ffordd drwy ei wythiennau a llithrodd deigryn i lawr ei foch. Ni allent symud na bys na bawd. Roedd William Hugh yn beichio crio y tu ôl i gryndod ei ysgwyddau. Gwenda oedd y gyntaf i herio 'i hiraeth. Yn ysgafn camodd i'w ochr a rhedodd ei bysedd dros ei wallt. Yr oedd y cyffyrddiad yn ddigon i liniaru mymryn ar ei wewyr a llyfodd y deigryn ar ei wefus. Drwy wên anogol sibrydodd Llinos,

'Grêt, Mr Rees. Gweithiwch y pedalau 'ne hefo'ch traed eto.'

'Mi fyddwch yn rhoi roc-a-rôl i ni toc.' Mynnai Nansi gael ei phig i mewn hefyd. Dyblodd William Hugh ei bedalu, a mwydodd ei hun yn yr ysgafnder dieithr yn ei galon, neu ei stumog. 'Fedra i neud na rhych na rhawn ohonof fy hun,' cwynodd drwy'r dagrau.

'Mr Rees, mae gennom ni Gylch Help Llaw yn yr ysgol. Mi brynwn ni trâni i chi—digon o raglenni Cymraeg,' awgrymodd Haf, wrth greu blerwch cyfoes o'i gwallt.

'Trâni! Be ŵyr o am trâni—weiarles sy gennoch chi yntê, Mr Rees,' meddai Gwenda gan ryfflo ei wallt, i ddiogelu'r gyfathrach yr oedd hi yn ei chreu rhyngddynt. Mi wnâi Haf rywbeth i dynnu sylw ati hi ei hun, ac am Llinos, wel *least said*, yn gwisgo *pyjama top* 'i thad yn ôl pob golwg. Nansi'n OK—wel, jest twp, un CSE, a thair noson yr wythnos hefo'r Efengylwyr. Fe gytunai Gwenda â'i Mam a ddywedodd wrth ei Modryb Gwyddfid, 'Ma' gen Gwenda *lovely touch* hefo hen bobol.' Cyfle i lynu wrth y ddelwedd yng ngŵydd y lleill.

'Dwi'n siŵr bod gennoch chi wallt neis pan oeddech chi'n hogyn ifanc,' gan bwyso ei phenelin yn llac ar ei ysgwydd.

'Eh,' ysgafn ei thinc. Wir, mi fuo'n ddi-feind na fydde fo wedi taflu'r sach allan, a fynte'n gw'bod bod pobol ddiarth ar eu ffordd. Ceisiodd ymaflyd â rhyw frwdfrydedd swil a fynnai gosi ei dafod. 'Wel, gwallt cringoch, cyrliog hefyd, lliw crabas wedi goraeddfedu, medde Mam. Lisi Meri'n chwaer yn taeru 'mod i'n perthyn i Gochen y fuwch.'

Dim smic. Yna clywsant chwerthiniad main, nerfus yn codi o blygion wasgod yr hen ŵr. Edrychodd drwy ei ddagrau o un i'r llall.

'Y fi â gwallt fel crabas—locsyn hefyd—a chyrls, a'r hen Gochen,' ond collwyd ei eiriau mewn ffrwydriad o chwerthin uchel, iach a luchiwyd yn ôl fel llwch o'r distiau. Yn araf cododd, dyrnodd yr allweddau yn ddi-hud i greu synau amhosib a llanwyd ei wyneb â ffresni hogynnaidd. A ddylent chwerthin gydag ef?

'Lisi Meri, tase ti yma rŵan—hefo ni—y pethe ifinc 'ma, mi faset wrth dy fodd. Diaw, dwi'n sbriwsio drwydda hefo nhw.'

Chwiliasant am le i eistedd gan chwarae'n ffyslyd â'u dillad.

'Mr Rhys wedi awgrymu y dylen ni neud paned i chi, a . . . a chael tipyn o'ch hanes.'

'Eh? myn diaw, un da ydi'ch Mistar Rhys chi. Wel ia, paned amdani,' ond yn ymwybodol o'r llestri craciog a'r llanast yn y drôrs. A'r llwch. Slensied o g'wilydd o gwmpas ei fogail. Fel y tro hwnnw pan ddaliodd Lisi Meri o yn dwyn wyau o nyth ji-binc. Ta waeth, perthyn i erstalwm roedd Lisi Meri bellach.

'Dowch, genod, ble ma'r paned 'ne?' a'i chwerthin mor iach. Dros baned fe anweddwyd yr annifyrrwch rhyngddynt ac am rai munudau bu cyfnewid gwên swil dros ymyl cwpan yn help i gynhesu'r gegin.

'Ma' Mr Rhys am i ni gael dipyn o'ch hanes,' a thynnodd Gwenda lyfryn a beiro o'i bag ysgwydd. 'Ydech chi wedi byw yma erioed?'

Yn falch o'r sylw annisgwyl, cliriodd ei wddf a llaciodd y stytsen o goler ei grys gwlanen.

'Naw oed oeddwn i pan ddaethom ni yma . . . o Gwegil y Cwm, tŷ â siamber.'

'Oo! Siamber. Be 'di siamber?' holodd Gwenda yn cymryd y Prosiect o ddifrif. A'r tair arall yn anesmwytho, trip i osgoi gwers Ffrangeg hefo *OuiOui* Huws oedd y pnawn i fod. Y *gig* yn y Neuadd heno oedd yn bwysig.

'Dwi'n leicio dy treinars di, Nans, feri ffash. *Suzie Sports?*'

'Haf, rhaid i ni fynd â rhywbeth yn ôl i Pry Rhys,' cwynodd Gwenda yn bwysig. 'Deudwch, Mr Rees, a faint o ddefaid o'dd . . .'

'Cym off it, Gwen, nid statistig ydi'r hen foi ond rêl cymeriad. Ei idiomau o a'i ddywediadau o sy'n bwysig.

Cadw'r iaith yn fyw,' gyda'i sêl genhadol dros y pethe. Tro Haf oedd chwifio beiro.

'Be am gân werin, Mistar Rees, neu ddawns y glocsen i ni? Llawr carreg las i'r dim yma.'

'Diaw, dech chi'n codi pen 'sgafnder arna i,' wrth deimlo distawrwydd ei flynyddoedd unig yn cael ei sugno i fyny'r simdde.

'Mi 'nawn ni roi dawns i chi. Tro'r radio 'ne mlaen, Llinos,' gorchmynnodd Nansi wrth dynnu ei sweter dau seis rhy fawr a'i daflu dros y sach.

'Lle cawn ni Radio Cymru, Mr Rees?' wrth droi'r botwm a siglo'n ddioglyd wrth aros am y curiad o'r radio. Dim sŵn.

'Batri'n hesb, colli'r prisiau o'r Mart a'r tywydd a . . .' yn ofer.

Yr oedd y pedair yn dawnsio'n llac o gwmpas y gegin, pob un yn ymateb i'w thiwn ei hun. Siglo. Gwau. Coesau'n llusgo a lleisiau'n chwyddo i rythmau gwylltion. A William Hugh yn dotio.

'Bril. Mr Rees, ylwch fel 'ma Llinos yn fflyrtio hefo hi ei hun,' a gwyrodd Nansi drosto i afael yn ei law. Joiwch eich hun hefo ni. Codwch!'

Crychodd ei lygaid, daliodd ar ei wynt, damia'r cryd-cymalau 'ma, mi faswn i'n rêl joli boi hefo'r rhain. Cyfaddawdodd drwy ddyrnu ei sgidie hoelion ar y garreg las a chwifio ei freichiau.

'Theimlais i ddim mor sionc ers canto'dd,' wrth chwilio am ei fymryn gwallt. 'Lisi Meri fydde'n . . . nos Sadwrn, unweth bob mis.'

'Oo! la, la, a be oeddech chi'n neud unweth bob mis, boio? Dêt hefo'r genod yn y pentre? Deudwch 'i henw hi,' yn ogleisiol a slei.

Yr oedd eu pryfocio iach yn ei blesio, ac yn sgil pwff o chwerthin genethig teimlai William grawen o euog-rwydd yn syrthio oddi wrtho. Edrychodd o un i un. Siaced frown a chwydd yn yr ysgwyddau, jîns glas, rhuban coch fel trimin ceffyl sioe, côt werdd laes—dew, oedd rhaid iddi wisgo un ei thad? Gwalltiau heb nabod crib, a'r fechan ddel 'ma wrth f'ochor i â syrcyn llaes—wel mi fuo ganddo fynte un 'stalwm.

'Go hen ffasiwn i eneth ifanc, 'te?' gan roi hergwd slei i Llinos yn ei hasennau. Nid un i golli cyfle oedd Llinos chwaith.

'Ffasiynol iawn, Mr Rees, siâp ddim yn bwŷsig, ond bod bwa tynn rownd 'y nghlunie i, ylwch.' Llithrodd i ganol y llawr a throellodd mewn steil o'i flaen, gan ymestyn ei chorff.

'Dangos 'i bŵbs i'r hen foi, ma' hi,' sibrydodd Gwenda yn eiddigus.

'Crys T 'den ni'n galw nhw,' brysiodd Nansi i gadw'r sgwrs o fewn terfynau—un anwadal oedd Gwenda. 'Dillad hamdden, Mr Rees, ma' gen i jîns melyn hefyd. Os . . .'

'Well gen i . . . ddillad lolian. Mae'n awgrymu gwyliau haf a thrip y Caban. Mae'n bwysig, genod, bod ni'n cadw'r gwaith academaidd a'r elfen greadigol ar wahân, ac mae dilledyn fel hwn yn help i mi ddianc i fyd ffantasi a . . .'

'Rho soc ynddi, Haf. Gwrandewch genod—iypi Ysgol y Bryn! Dech chi'n EDMYGU'N dillad ni, Mr Rees? Ma'n bwysig bod ni'n trendi, ond bod *rhai* yn hoffi tynnu sylw atynt eu hunain.'

'Dod yma i sgwrsio hefo Mr Rees ar gais y Bonwr Pry

Cop wnaethon ni,' sisialodd Nansi yn sydêt, 'nid i redeg sioe ffasiwn a ffraeo.'

'Wel, o leia, ryden ni wedi tynnu'r hen ŵr o'i gragen. Drychwch arno fo.'

Ym mwrlwm eu dadlau ni sylwasant ei fod wedi codi o'i gadair a'i fod yn sefyll o flaen dernyn o ddrych yng nghornel ffrâm, ac wyneb Evan Roberts y Diwygiwr yn syllu arno drwy drwch o lwch. Ysgafnwyd eu hwynebau wrth ei wylio yn tacluso rhafflad ymyl ei wasgod ac yn amcanu at siapio cyrlen â'r blewiach ar ei gorun. Hurtiwyd ef gan eu gwawchian direidus fel y closient ato wrth y drych. Ceisiodd chwerthin yn hogynnaidd i guddio ei embaras.

'Rydw i'n sionci drwydda yn eich cwmni chi . . . ŵyn yn prancio ar y bonc ar haf hirfelyn tesog . . . go dda yntê, genod . . . A phrun ohonoch chi sy am fod yn howscipar i mi, eh?'

'Na, *all or nothing*, Mr Rees. Gwraig ne' . . .' collwyd y gweddill yn y rhu gorffwyll a luchiodd William Hugh i gorneli pygddu'r gegin. Syrthiodd y genethod ar eu sodlau. Taflodd ei hun yn ôl yn y gadair a mwydodd ei hun yn ei ieuengrwydd newydd. Gwthiodd joe o faco rhwng ei ddannedd i arafu'r chwerthin yn ei fol.

'Wannwyl, dech chi'n griw da am hwyl. Deudwch wrth eich Mistar Rees . . .'

'Rhys, nid Rees,' hysiodd Gwenda i'r adwy.

'Duwcs, Rhys ne' Rees, o'r un cyff 'te,' a winc slei i gyfeiriad honne yn y trywsus melyn, 'par o goese del 'te.'

'Mi rydech chithe'n ffab, 'tydi genod?'

'Deud bod chi'n dipyn o gymeriad y mae Haf.'

'Dech chi'n meddwl hynny? Fase Lisi Meri'n chwaer yn . . .'

'Chi sy'n bwysig i ni. Mi anfonwn ni dipyn o'ch hanes i *Hel Straeon* a Gwyn Llywelyn ar y telefisiwn.'

'Straeon—diaw mi'ch cadwa i chi mewn straeon am oriau,' gan drochi llawes ei grys yn awgrymog.

'Na, rhaglen ar y telefisiwn ydi *Hel Straeon* a mi fydde rhaglen am werinwr o'r iawn ryw sy'n diogelu ei dreftadaeth yn dipyn o sgŵp,' ac ailafaelodd Gwenda yn ei beiro.

Yn fyfyriol syllodd William Hugh o un i'r llall, crychodd ei aeliau a thaflodd y cwestiwn atynt yn swil,

'Brensiach, eh? Dech chi'n meddwl bod y letrig yma yn ddigon cry i roi pictiwr i mi?'

'Dim problem, mi fase'n grêt i chi—erial ar dalcen y tŷ.'

Yr oeddynt yn unfrydol.

'Rhaglenni ffermio, *Caryl, Pobol y Cwm, Dechrau Canu Dech* . . . "*fair doos*, Nansi, ded borin", *Byd Natur*—wrth eich bodd chi, *Dinas*. Taith i fan hyn a thrip i'r . . .'

'Trip ddeutsoch chi?' gan wthio ei ffordd i'r sgwrs. 'Mynd hefo siara i'r Rhyl a chodi 'nhrôns dros 'y mhene glinie a phadlo . . .'

'Rêl cinci, Mr Rees,' gan redeg ei bys ar draws ei foch.

'Ac India roc, mi fedra inne frolio hefyd,' a chythrodd ymlaen â'i bwys ar y dresar derw. 'Cnegwerth o Injaroc, cnegwerth o reid ar gefn mul, a mi aeth het Missus Evans, G'nidog allan hefo'r llanw, a . . .' gan gymryd ei wynt i hel ei feiddgarwch at ei gilydd, . . . 'ac am hwyl mi bisodd John Hendri Stalwyn i'r môr—datod 'i falog—a mi roedd y gwynt i'w wyneb o.'

'Hei, hei, Mr Rees, dech chi'n feiddgar iawn yng ngŵydd genod bach diniwed.'

Rhythodd William yn slei o gornel ei lygad a bachodd ei law am ei falog. 'Be ddeudes i deudwch, 'nethod?'

'Gad iddo fo, Nans, ni sy wedi gneud iddo fynd dros ben llestri, ond o leia ryden ni wedi 'i dynnu o allan o'i gragen. Rêl cymêr 'di o.'

Gwenda a daflodd ddŵr oer dros yr hwyl.

'Cymeriad neu beidio, beth am y nodiadau a'r prosiect i Pry Rhys?'

'Stwffia dy brosiect, Gwenda, chafodd yr hen foi ddim cym'int o hwyl ers blynyddoedd. Hwyl a fflag yntê, Mr Rees.'

'Naddo, myn diaw. Ddim ers pan o'n i'n ffureta hefo'r hogie.' Llyncodd ei eiriau pan sylwodd ar Haf yn llithro sigarét rhwng ei gwefusau. 'Tawn i'n marw, cetyn fydde Lisi Meri yn 'i smocio.'

'Tynnu coes dech chi rŵan yntê, Mr Rees,' sibrydodd Haf wrth ollwng pwl o fwg dros ei ysgwydd i'w wyneb.

'Be 'di'r ots?' holodd Nans yn ddramatig. 'Genod y nawdegau yden ni, y bilsen a *smac* ydi'n steil ni, Mr Rees.'

'Eh? Pilsen i be?' yn amddiffynnol.

'Blydi hel, Nans,' gan ei thynnu oddi wrtho'n sarrug.

Achubwyd hwy gan blipian main oriawr ddigidol Llinos.

'Hanner awr wedi tri, genod. Mi dacluswn ni y gegin i chi cyn mynd.'

'Dim cythgam o berig, 'merch i, ma 'ne ormod o drang-lings ar hyd y lle 'ma.' Edrychodd yn euog o un i un. Chwiliodd am y sach.

'O.K. O.K., Mr Rees,' wrth daflu dillad yn ddiofal dros eu hysgwyddau. Rhwymodd Llinos lewys ei sweter am ei chanol.

'Mi fydd Mr Rhys wrth ei fodd. Mi alwn ni i'ch gweld chi eto, er mwyn i mi gael gorffen . . .'

'Y Prosiect,' yn bedwarawd hwyliog.

'Wel, diaw, mi ges i hwyl hefo chi. Dech chi'n . . . be 'di'r gair . . . yn grêt, ie, grêt. Brysiwch yma eto.'

'Hwyl a fflag, Mr Rees,' wrth sgipio'n hwyliog i'r buarth.

'Hei, hei,' yn gynhyrfus cyn iddynt ddiflannu heibio'r sgubor, 'deudwch wrtha i be 'di drecsiwn dyn y telifisiwn ene . . . a'r stori . . .'

Ond yr oeddynt wedi mynd.

Chwalu'r Nyth

Cyn dweud dim, syllodd Hafina Lloyd yn gariadus ar Rhian. Er ei bod yn gwybod yn iawn bod ei mam yn rhythu arni mor lloaidd ag arfer ni thynnodd Rhian ei llygaid oddi ar y sgrin. Heblaw hynny, meddyliodd Rhian, palfalu am eiriau neis i ddweud y drefn wrtha i mae Mam. Yr oedd hynny yn ei phlesio. Rhan o'r gêm oedd cadw ei mam ar bigau'r drain. Gwenodd yn slei wrth gofio geiriau Nain Dolwen wrth ei mam.

'Ma'r eneth 'ma'n feistres corn arnat ti, Haf,' pan wrthododd Rhian fwyta'r hadog mewn saws a ddewisodd yn Tesco. Wel, yr oedd yn un o'i ffefrynnau. Ond ar ei mam roedd y bai. Hi a wrthododd brynu pâr lyfli o *flatties* gleision yn Siop Ffab.

'Ma' gennot ti ddau bâr, Del,' awgrymodd ei mam yn gymodlon.

Monnodd Rhian yn bwt, ac ar ôl dychwelyd i'r tŷ, fe daflodd yr hadog ar deils y gegin fach i Tabi. Gwenodd Rhian drwy gornel ei cheg i gyfeiriad y sgrin wrth gofio'r llesteiriant ym mwmial annifyr y ddwy.

Yn ffuantus croesodd ei choesau. Canolbwyntiodd ar y rhaglen natur er mwyn osgoi ildio i edrychiad ei mam. Yr oedd yn falch o'r esgus i rythu ar yr helfa.

'Rhian, cariad, gwell i . . . '

'Shh!' drwy ei dannedd.

Ym mileindra ei chynnwrf cripiodd gefn un llaw ag ewinedd y llall. Ni allai dynnu ei llygaid oddi ar gamu bwriadus y ddwy lewes ar drywydd sebra a borai'n ddiniwed ar gyrion yr haid. Oedden nhw'n chwysu yng ngwres crasboeth y safana? Yn awchus gwyliodd Rhian un llewes yn llithro'n isel ar ei bol yn gynnil, gynnil. Fe wyddai Rhian mai llewes oedd hi am fod Miss Price wedi deud wrth Ddosbarth Pedwar mai'r llewes oedd yn hela ac mai Mistar Llew—hen enw gwirion—oedd yn mynnu'r siâr fwyaf o'r cig. Ond nid oedd am ddweud hynny wrth ei mam neu fe fynnai hi dorri ar ei gwylio.

Suddodd yn is i'r gadair wrth ymdeimlo â stelcian y llewes ar drithroed, y droed arall yn hofran fel pe'n galw am ddistawrwydd. Lot mwy o sbort na gwylio Mot, ci Yncl Siôn yn y Sioe Gŵn.

Cyflymodd ei hanadl wrth wylio symudiadau cyfrwys eu cyrff llwglyd.

'Sut y baset ti yn leicio i gi . . .'

'Bydd ddistaw, Mam. Ishio gweld . . .' gan lyncu ei geiriau yng nghyfaredd y gwylio.

'Whaw . . . yli . . . yli . . . grêt,' ei gwichiadau yn llenwi'r stafell wrth wylio'r llewes yn hyrddio ei hun ar gefn y sebra a'i sathru i'r safana yn ei waed ei hun. Cythrodd Rhian ar ei phennau gliniau i redeg bysedd blysig ar draws y sgrin. Yn siomedig llyfodd ei bysedd sychion.

'Mam, mi faswn i'n leicio bod yn llewes,' wrth edrych arni o dan ei chuwch.

'Rhian, cariad, y fath syniad, *it's not natural dear*, a tydi plant neis . . .'

'Dwi ddim ishio bod yn neis,' drwy ei dannedd yn bryf-oclyd. Fe wyddai sut i godi gwrychyn ei mam. Clensiodd fysedd ei thraed yn flysig wrth hymian 'Blodyn piws ydi cariad fi', o gasét y Pyncs. Llusgodd y llewes ei hysglyfaeth drwy lwch y safana gan adael trywydd gwaedlyd o'i hôl. Yn nerfus cythrodd Hafina Lloyd i droi'r swits i Sianel

Pedwar. Llanwyd y sgrin â berw o bili-palod lliwgar o feithrinfa ar lannau'r Fenai.

'Edrych, cariad, dene ti *beautiful—winged fairies.*'

Diffoddodd Rhian y set a cherddodd allan yn dalog. Wrth redeg i fyny'r grisiau gwthiodd ei dwrn i'w cheg i dagu'r glaschwerthin. Disgynnodd yn fflop ar gwrlid pinc y gwely cyn gosod Siwsidol ar ei glin.

'Ma' Mam wedi digio, ma' Mam wedi digio,' wrth siglo'r ddoli yn anwesol. Wrth ddrws y lolfa fe safai Hafina a'i bysedd yn dynn dros ei chlustiau.

'Wsti sut y gwn i, Siw?' yn gyfrinachol wrth redeg ei bysedd drwy'r gwallt neilon. 'Wel, pan fydd Mam yn siarad hefo fi yn Saesneg, ma' hi'n ypset hefo fi. "*I'm very annoyed, Rhian,*" medde hi pan oedden ni'n cael te yn Little Byte, am bod fi wedi colli *ice cream* ar ffrog *sleeveless* newydd fi. "*I'm very annoyed,*" ma' Miss Royle yn deud 'run fath yn 'rysgol ar ôl i mi sgriblo ar *Fy Llyfr Stori. Naughty, naughty*, neis, neis.'

Gwrthododd Siwsidol giglan gyda hi a chiciodd Rhian hi ar draws yr ystafell i ganol pentwr o esgidiau amryliw.

'O! Siw, be dwi'n neud i ti? Fi ydi Miss Royle a ti 'di Rhian.'

Torsythodd, pletiodd ei gwefusau, plyciodd hem ei siwmper yn sydêt.

'Rhian Lloyd, ma'ch ymddygiad chi'n warthus, tarfu ar y dosbarth.'

A'i bys yn ei cheg a llaw dros ei llygad, sibrydodd wrth Siw,

'Ma'n ddrwg gen i, Miss Royle.'

'Byddwch yn fwy gofalus. A rŵan, mi gawn wrando ar gân werin.'

Llaciodd Rhian fraich y dec a llanwyd y stafell â churiad

tanllyd y Colbies. Taflodd Rhian *leotard* loywlas dros ei hysgwyddau ac ymollyngodd i gymhlethdod o symud-iadau aerobig.

'Siw, edrych—llewes yn hela, whaw.'

Pylodd ei llygaid a chordeddwyd ei gwep â stumiau gorffwyll, anifeilaidd. Yr oedd ei hystwyrian yn fileinig o hypnotaidd, ei hystwythder genethig yn hyll o galed.

Nid oedd Hafina yn ymwybodol o na siw na miw o'r llofft. Fe wyddai'n rhy dda mai ofer fyddai dilyn Rhian i fyny'r grisiau. Gwthiodd ei phoendod o'r neilltu fel un yn symud cadair o wres y tân. Amser te toc. Te i Rhian. Chwilota dibwrpas. Tuniau o Sainsbury ar y silffoedd, pecynnau o fwydydd parod yn y cwpwrdd bach, pacedi sglein yn y rhewgell, biti na fase popeth mor syml—dropyn o ddŵr a thri munud o fudferwi. *Ham risotto* . . . ma' hi'n medru bod mor annwyl. *Mushrooms in exotic sauce* a E 121, a'r funud nesa ma' hi'n *real madam. Chilli con carne*, wel, dyma un o'i ffefrynnau. O! Dyna fi eto, eto, eto!

Yn flin taflodd binsied o bupur coch, nionyn, llwyaid o gyri a chymysgfwyd i'r cymysgydd. Lliniarwyd ychydig ar ei gwewyr gan rygnu main y *Cheffete*.

'Ma' 'mywyd inne yn gym'int o gymysgfa â'r cowdel yn y fowlen 'ma,' cwynodd o dan ei gwynt. Cythrodd am wydriad o sieri, a gwyliodd y fowlen yn chwyrlïo'n wyllt ar yr echel. Fflachiodd eiliadau o'i bywyd o grombil y cymysgydd. Ei mam yn chwerthin wrth swingio ar y siglen ym Mharc Eifion, Rhian yn chwerthin wrth hanner dagu'r gath fach yn ei basged; Dad yn crechwenu'n slei wrth redeg ei law o dan ei ffrog binc; Mam, Mam, yn wylo'n dawel pan ddeudodd hi wrthi bod Dad yn chwarae gêms yn y llofft Noson Cyfarfod y Merched;

Rhian yn strancio'n orffwyll pan geisiwn ei chofleidio mor dyner ag y medrwn. Dim ond run fath ag y bydde Dad yn fy ngwasgu yn dynn yn erbyn ei fol ac yn chwythu drwy ei drwyn fel ceffyl Gelli; y *two timer*, a Iolo a Griff yn ei sbeitio am nad oedd yn gêm i fynd i sêt ôl y car. Ofn, ofn y llaw yn ei brifo. Ysu, ysu am gusan gynnes gan . . . gan Rhian i anghofio'r llaw oer.

Trodd Hafina y cymysgydd i ffwrdd a chyfnewidiwyd chwyrnu'r peiriant am udo oer o'i chalon fel y gorweddai'n swp digalon wrth y rhewgell.

'Rhian, del, gad i mi dy garu di. Dim ond ti sy gen i. Gad i ni chwerthin hefo'n gilydd, plîs, Rhian.'

Yn araf cododd i roi ei phwys ar uned y gegin, a syllodd i'r drych o dan y cloc trydan. Ebychodd wrth sylwi ar y cleisiau o dan ei llygaid. Fel mwgwd. Nid bod hynny'n anghyffredin yr adeg yma o'r mis.

Rhedodd Rhian i'r gegin.

'Mm, *chilli, chilli*—ogle lyfli, Mam.'

'Wel, mi wn i sut i dy blesio.' Brathodd ei thafod. 'Tyrd, mae'n gynnes. Mi fydd Yncl Ifor yma toc.'

'Yncl Ifor?' wrth osod ei hun mewn stans ymosodol.

'A pham lai, *your favourite uncle*,' drwy chwerthiniad nerfus. Teimlai'r gwres yn codi i'w hwyneb a staeniwyd y lliain wrth iddi orlwytho plât Rhian.

'Sori, Rhian fach, tydw i'n flêr,' wrth sychu ymyl y plât yn wyllt â'i hances binc. Yn wawdlyd llithrodd amrannau Rhian yn araf dros oerni ei llygaid.

'Dwi ddim ishio bwyd, neith Yncl Ifor 'i f'yta fo. Dwi'n mynd i weld Sandra Bates, ma' gen hi *ballet shoes* newydd.'

Yn hoedenaidd llithrodd Rhian o'r ystafell. Roedd y gegin yn drwm o aroglau llymsur y *chilli*.

I'r parc y cerddodd Rhian. Mi wna i dy binsio di yn 'rysgol, Sandra. Mam ddim wedi prynu *ballet shoes* i fi. A thynnu dy nicars di i lawr. Am rai munudau gwyliodd y pysgod yn troelli'n ddioglyd yn y llyn wrth y caffi. Ma' gennyn nhw lyg'id run fath â Mam. Llygid yn brifo wrth sbio. Rydw i'n leicio Yncl Ifor pan ma' fo'n dŵad â phresant i mi. Ydi pysgod yn cnoi *chilli*? Ond cheith o ddim mynd â Mam i ffwrdd. Fi pia Mam. A Siwsi. Dim ond Siwsi o'dd yn gwybod bod fi wedi gweld Yncl Ifor yn rhoi cusan coch ar wddw Mam. A Mam yn gwenu llond ceg run fath â Moira pan ga'th hi *first prize* yn y *Flower Show* am hel blodau o'r gwrych.

O ganol y gwrych gwyros yr oedd sŵn main, main yn gwthio drwy'r dail. Ar flaenau ei thraed gwahanodd Rhian y brigau. Pump o gywion cegagored yn chwerthin yn wichlyd mewn nyth neis. Cynhesodd drwyddi wrth wylio'r pigau yn gofyn am fwyd, a'u plu yn crynu, a hi isio rhoi o bach iddyn nhw. A deud wrth Yncl Ifor. Na, mi neith Yncl Ifor fynd â Mam i ffwrdd. Dene pam bod y cywion yn chwerthin, sbeitio fi am bod fi yn digio Mam. Mi wna i stwffio llond llwy o *chilli* i lawr 'u corn gyddfe hyll nhw. Taenodd Rhian gerrig mân dros y nyth.

'Y fi sy 'ma, Mam,' gan aros i sythu'r print o Lyn Tegid ar fur y grisiau.

Nid oedd taw ar edmygedd ei mam o'r darlun. 'Tydi o'n llun hyfryd, Rhian, yn ymyl fy nghartre i, anrheg gan Ifor y Dolig!'

Yn fyfyriol syllodd Rhian ar y pysgotwyr llonydd yn eu cychod llonydd, y frân lonydd ar frig to Eglwys Llangower a'r defaid disymud ar y llethrau. A diymadferthwch yr olygfa. O'r gegin cododd chwerthiniad ysgafn. Chwyddodd llygaid Rhian a gwthiodd ei bys yn filain drwy'r ffrâm. Doedd dim brys. Yn reddfol fe wyddai y byddai ei mam ar bigau'r drain, rhwng y pleser o gael Ifor yn ôl a'r pryder am ymateb Rhian. Y pwysau ar ei stumog fel uwd oer. Dim brys. Yn y bathrwm aeth ati i arbrofi gyda phersawr a minlliw ei mam. Sblas o ddŵr toiled, chwistrelliad o *Estée Lauder*. Amser i Mam gael cusan a thacluso ei sgert. Tynnodd linell hirlas ar hyd ei hamrannau.

Wrth redeg i lawr y grisiau crychodd ei gwefusau i lyfn-hau'r rhuddliw. Cerddodd i'r ystafell yn oriog. Fferrodd, a'i llaw ar ddwrn y drws. Mewn un symudiad cyfrwys cododd ei haeliau, llyncodd ei hanadl a gwenodd yn gynnes. Yn ofer y syllodd Hafina ar y ffalsrwydd yn llygaid Rhian. Ochneidiodd yn bryderus.

'Yncl Ifor! Helô! Neis, neis eich gweld chi,' gan daflu ei hun i'w freichiau. Ag un llaw ar labed ei glust, cusanodd ef yn wyllt. Yn ei hanghysur ni allai Hafina lai nag edmygu ei ffalsrwydd. Rhy glyfar.

'Wel, Rhian fach, am groeso,' wrth edmygu yr wyneb cynnes, ifanc.

'Yncl Ifor, newch chi roi llaw am canol fi?' ei llais mor slei â'i llygaid. Gwelwodd Hafina wrth ymladd i lon-yddu'r cryndod oer a lithrodd i lawr ei meingefn. Y llais slei. Llais ei thad.

'Mi ro i fy llaw am dy ganol, Hafi, a mi 'nawn ni chwarae gêm, neidia ar y gwely . . . gwely . . . gwely . . . slei . . . slei . . .'

Yr oedd yn mynnu i'r ystafell beidio â gwegian, i guriad creulon ei chalon dawelu, i'r olwg slei yn llygaid Rhian bylu cyn iddi ei thrywanu. Yn orffwyll chwifiodd ei breichiau o gwmpas ei phen i wasgaru'r haid o wenyn o'i llygaid, o'i thrwyn a'i gwallt. Arhosodd i'r suo pigog ddistewi. Y murmur melfedaidd yn ei denu i ryddid am byth. Drwy'r distawrwydd porffor daeth murmur geiriau i'w haflonyddu ag undonedd diferion pistyll sych.

'. . . Ifor sy 'ma . . . ni'n dau . . . dau . . . dau . . . am . . . byth . . . byth . . . by . . .' Drwy wawl gariadus lliwiau'r gwanwyn a thrydar mwyalchen a bronfraith, llithrodd gwên ddiniwed Rhian o flaen ei llygaid. Nes y sylwodd ar yr her yn llygaid ei merch. Ofer fu'r cwbwl. Ei hymdrechion i ymddihatru ei hun o anwesu budr ei thad drwy ei hanwyldeb diwobrwy i Rhian. Llyncodd ei phoer yn galed.

'Rhian, ma' Ifor, Yncl Ifor a mi yn mynd i briodi.' Ni wybu Ifor y fath oerni yn ei llais. Unwyd y ddau gan y chwys ar gledr llaw Hafina.

Yn hamddenol gwthiodd Rhian y gyrlen yn ôl o'i thalcen.

'Ma' gennoch chi farf neis, Yncl Ifor. Ydi pawb ar yr *oil rig* yn tyfu barf goch run fath â chi? Welsoch chi forfil, Yncl Ifor?'

'Do, un glas a streipen goch ar ei gefn. Doedd Jona ddim yn 'i fol o chwaith,' yn chwareus. 'Ydi morfil yn bwysicach nag Yncl Ifor?'

'Dech chi'n gneud sbort ohono i, stori Ysgol Sul 'di Jona. Tŷ Mam a fi ydi hwn, oes gennoch chi dŷ ar yr *oil rig*?'

A'i stumog yn troelli fel peiriant golchi, fe adnabu Hafina yr arwyddion. Yn fyrbwyll ailagorodd y pecyn crychlyd o bapur sidan.

'Yli, Rhian, anrheg gefais i gan Ifor.'

Ar gledr ei llaw yr oedd ffiguryn hyfryd o farmor gwyn. Merch Sbaenaidd osgeiddig yn dawnsio'n nwydus, a gwawr binc ei gwisg yn fflêr foethus. Fe glywai Hafina glec y *maraccas* yn y bysedd llonydd. O gornel ei llygad fe sylwodd Rhian ar y pleser nerfus yn wyneb ei mam. Llithrodd crychdon anesmwyth drwy ei chorff, fel su hydrefol yn cynhyrfu'r dail.

'Wel,' sibrydodd ei mam, a'i hofnau yn breuo ei phleser.

'Lyfli, Yncl Ifor, sgleinio run fath â charreg fedd Taid.'

Priciodd Hafina ei chlustiau fel merlen yn wynebu ffens annisgwyl. O hyd braich gosododd y ffiguryn ar y bwrdd crwn a llonyddwch ei cheinder yn aflonyddu ar y tri.

'Dwi'n dawnsio, Yncl Ifor. Mewn *leotard*. Miss Royle yn deud bod fi yn grêt wrth ddawnsio.' Mor osgeiddig â'r ferch o farmor llithrodd o gwmpas yr ystafell, chwyrlïodd fel y pili-pala, palfalodd fel y llewes, gwywodd fel y sebra. Rhythodd Ifor yn gegrwth.

'Hafina, ma'r ferch tsieni wedi magu cig a gwaed o flaen fy llygaid.'

Llamodd, a'i breichiau ar led fel gwrach. Ar flaenau ei thraed gwyrodd ymlaen yn gynnil, gyfrwys, i chwipio'r ffiguryn oddi ar y bwrdd â blaenau ei bysedd. Chwalwyd y ferch o farmor yn gandryll. Drwy syndod y distawrwydd yr oedd dripian oer y tap fel hunllef. Ni allent ond syllu'n hurt ar y darnau briwsionllyd ar y carped. Sleifiodd Rhian allan yn ddidaro.

'Mi bryna i un arall, Haf,' gan ymestyn ei freichiau i'w chofleidio.

'Cadw draw, paid â'm cyffwrdd! Cadw dy law, dy ddwylo budron . . .' wrth syrthio i'r llawr.

'Balch ydi hi bod ganddi dadi newydd—nid yncl. Swagro hefo'r plant yn 'rysgol.'

'Paid â threio bod yn glyfar. *Jesus, she's evil,*' gan godi a rhidyllu'r darnau drwy ei bysedd.

Eilwaith cynigiodd Ifor ei freichiau iddi, ond taflwyd ef ar ei sodlau gan hergwd Haf. 'Dos, dos oddi yma,' wrth iddi redeg i'r lobi. Pan edrychodd drwy wydryn lliw y drws ffrynt, nid oedd golwg o Rhian.

Ym mhen pellaf y parc yn gwylio ystwythder yr hwyaid ar lyfnder y llyn yr oedd hi. Wrth droed ffawydden yr oedd ysbleddach o saffrwn. Sathrodd arnynt. Grêt. Fel y nesâi at y gwrych yr oedd ei hanadl yn foel a chyflym. Ble'r oedd y cywion? Gwyliodd fronfraith a phryfed yn ei phig yn llithro i ddiogelwch y gwrych. 'Yn fwriadus gwahanodd y brigau. Dene lle'r oeddynt, eu gyddfau hirion a'u cegau llydain yn nyddu sbort. Gwneud sbort ohoni hi. Rhian. Pedwar ohonynt. Tu cefn i'r llygaid deillion yr oedd sbeit du. Yn araf gwthiodd ei bys bach i geg y mwyaf. Treiddiodd gwefr drydanol drwy ei chorff wrth deimlo gwasgfa dila'r big am y bys. Wrth wylio cryndod y cyw eiddil yn marw ymledodd gwên galed, oer dros ei hwyneb. Biti na fasa Siwsi hefo hi. Ond gyda'r olaf yr oedd y sbort. Bys bach i lawr corn gwddw y ddau ar unwaith. P'run fyddai'r olaf i farw? Lot mwy o sbort na thynnu nicars Iris Treflys i lawr yn y toiled. Gwich o bleser wrth sylwi mor debyg i Mam yr oedd un ohonynt pan syrthiodd yr amrannau mawr, mawr dros ei lygaid. Run fath â Mam ar y setî ar ôl bod yn gweithio yn Caffi Imra Khan ar nos Sadwrn am hir, hir. Clapiodd ei dwylo dros y plu, yna lapiodd ddau ohonynt yn ei chadach poced. Sgipiodd heibio'r Hen Farchnad a'i cheiliog gwynt yn troelli'n drist ar ei thŵr, i lawr Ffordd Tegid ac at y tŷ.

'Cooeee,' wrth waelod y grisiau.

Pan gerddodd i'r gegin eisteddai'r ddwy oddeutu'r storydd gwres. Rhoddodd annifyrrwch yr oerni rhyngddynt hyder iddi.

'Hi,' gyda ffresni diniwed.

'Sori, Mam,' drwy wefusau yn dynn ar foch Hafina.

'Yli, Mam,' wrth agor plygion y cadach poced yn ofalus.

'Rhian—y pethe bach,' a thinc o ryddhad yn ei llais. 'Mor ddel, ond rhaid i ti fynd â nhw'n ôl i'r nyth, del.'

'Na, Mam, gân nhw aros yn tŷ ni.'

Yn dwyllodrus o dyner cymerodd Rhian law ei mam a thywalltodd y ddau gyw arni. Eiliad o edmygedd cyn oes o sgrech gyntefig. Yn orffwyll llamodd Hafina ar draws yr ystafell a thaflodd y cywion i fasged sbwriel wrth ochr y piano.

Heb frys taenodd Rhian gadach poced ar y bwrdd wrth ochr y teilchion, a gosododd y ddau gyw oer arno. Rhedodd i fyny i'r llofft.

Roedd ganddi gymaint i'w ddweud wrth Siwsidol.

Paned o Goffi

'Y bwrdd arferol, Mrs Philips?'

Nid atebodd Mrs Philips ar unwaith wrth lyfnhau plygion yr ymbarél las a ddaliai yn ei llaw dde. Yn hamddenol llaciodd fotwm uchaf ei chôt lwyd cyn tynnu ei menig swêd a'u llithro i fag llaw o ledr ffug. Gwenodd yn gynnil ar y weinyddes. Trodd ei golygon i gyfeiriad yr yfwyr coffi yn ddeuoedd o gwmpas y byrddau crwn, gan ymestyn y wên fel edefyn arian o wyneb i wyneb. Ambell un yn gwenu'n ôl dros ymyl cwpan, eraill yn ddiarwybod iddynt eu hunain yn gollwng eu lleisiau, creu saib yn y straea neu'n eistedd yn ôl yn fyfyriol.

'Ie, 'merch i, plîs.'

Gweodd lwybr rhwng y byrddau a phob llygad arni. Ei phen yn ôl, ei cham yn fwriadus a'i llygaid gwinau yn archwilio'r ystafell â thawelwch rhyfedd, anelodd am ei bwrdd arferol wrth y ffenestr fwa. Yr oedd ei hosgo wrth eistedd fel pe'n selio'r distawrwydd mwyn, annisgwyl. Bron nad oedd pob cwsmer yn swatio fel aderyn mewn llwyn pan fo curyll coch yn hofran uwchben. Ond nid oedd ofn yn y bwyty. Yn hytrach yr oedd presenoldeb y wraig wedi esgor ar fodlonrwydd cynnes. Tawodd y tincial-llwy-mewn-cwpan a siffrwd y ffoil am y fisged siocled wrth iddynt ei gwylio o gornel eu llygaid.

'Coffi?' yn goeglyd, fel pe'n ymdrechu i chwalu'r ias o hamdden a ddaethai i mewn i Fwyty Sioned. Ffliciodd ei beiro ar draws ei dannedd yn ffyslyd. Busnes ydi busnes fel y mynnai Sioned Puw ddisgyblu ei gweinyddesau wrth ddosrannu'r byrddau am hanner awr wedi naw bob bore.

'Ie, os gwelwch yn dda, a sgonsen, menyn a jam mefus,' a gwthiodd gudyn o wallt claerwyn o dan gantel ei het ddu a'r bluen ddugoch yn sownd wrth y rhuban. Yr oedd y symudiad yn un pwyllog, cyfforddus.

'Ar unwaith, Mrs Philips,' gan redeg ei bysedd yn ddibwrpas ar draws y lliain pinc. Cerddodd i'r gegin ar flaenau ei thraed. Dewis Sioned oedd llieiniau pinc, nid yn unig i gydweddu â'r gorchuddion cadeiriau o wawr lelog, nac ychwaith am eu bod yn dangos llai o staeniau yfwyr diofal. Roedd gan Sioned theori, nad oedd yn fyr o'i threthu ar eraill. 'Lliain gwyn yn rhy bositif, rhy lachar am ddeg o'r gloch y bore; gwyn ar gyfer ciniawa ffurfiol am saith, ac i ddangos sglein y cwtleri ac aeddfedrwydd gwin coch. Ond pinc i goffi a the pnawn. Lliw i ymlacio yn ei gwmni ac i greu ysgafnder.' Ac yn wir, o gysgod y sgrin bambŵ yn ymyl y til, dyna'r union sentiment a deimlai y bore arbennig hwn wrth synhwyro awyrgylch y bwyty. Tretiodd ei hun i dafell o deisen Berffro.

'Dach chi wedi archebu, Mrs Philips? Helen!' dros ei hysgwydd.

Gosododd Luned Philips ei phenelinoedd ar y bwrdd a gwnaeth nyth bach i'w hwyneb a'i bysedd. Ni feddyliodd mai hi oedd yn gyfrifol am y tawelwch annisgwyl a hualai'r ystafell fel gwawn ar wrych. Aeddfedrwydd blynyddoedd diddig gyda William yn treiddio'n annisgwyl i unigedd eraill am eiliad.

'Dyma chi, Mrs Philips,' a gosododd y jwg coffi, y llefrith cynnes, y sgon a'r jam dros y lliain pinc. Ar ymyl chwith y bwrdd gosododd napcyn cyn troi i symud y gadair arall at fwrdd pellach.

'Na, gadewch hi wrth y bwrdd . . . a well i chi roi napcyn arall o'i blaen,' mewn llais llawn cyfrinach.

Stompiodd Helen yn ôl i'r gegin. Ailosododd Luned y bwrdd yn hamddenol cyn troi ei golygon gyda mwy o ddiddordeb at y bobl o'i chwmpas. O'i gymharu â'i hosgo amyneddgar hi yr oeddynt yn creu rhyw lifeiriant o gynnwrf swnllyd digyfeiriad, pob un yn orawyddus i roi pig i mewn yn y sgwrs. Cododd Luned ei haeliau yn holgar.

> Mewn difri, William bach, ydi'r bobol 'ma mor unig ag y maen nhw'n ymddangos? Dim taw ar 'u janglo nhw.

Gwenodd yn gynnes ar y gadair gyferbyn a gafaelodd yn dynn yn y napcyn.

> Bod hefo'n gilydd yn ddigon i ni'n dau. A felly buo hi dros yr holl flynyddoedd, heth a hindda. Mi wyddem, fel y gwn i'r funud 'ma, dim ond edrych ym myw eich llygad chi.

Yn fyfyriol holltodd y sgon cyn taenu'r menyn a'r jam. Edrychodd allan drwy'r ffenestr. Chwyrlïodd haid o ddrudwy o bren lelog yn yr ardd gan adael ji-binc i'w bincio ei hun yn ffyslyd. Roedd Luned yn chwerthin yn hiraethus rhwng llymeitian a chnoi.

> Peidiwch â chamddeall, William bach, ma' hiraeth sy'n codi gwên yn codi calon hefyd. Gweld y ji-binc. Dech chi'n cofio'r hen rigwm ddaru chi lafarganu o ben y goeden fale—perllan Fron Haul—tro cynta i ni'n dau gerdded allan . . .

Edrychodd o'i chwmpas yn ddireidus. Roeddyn nhw i gyd yn rhy brysur i gymryd sylw. O dan ei gwynt sibrydodd, 'Deudwch hi hefo mi.'

Gwenodd yn anogol. Llanwodd ei sgyfaint ag arogleuon gwair swît, fale'n cwsno a brethyn ei gôt.

Hefo'n gilydd—Ji-binc, ji-binc, ar ben y banc
Yn pwyso hanner cant o blant . . .
Fel 'na'n union y deutsoch chi, William. Na, chawsom ni ddim hanner cant—dim un—ond mi gawsom ni lond tŷ—a briws—o hwyl fel un. Dech chi'n cofio . . .

ac aeth gwres y cofio yn drech na'i swildod naturiol a byrlymodd ei chwerthin dros y byrddau. Nid oedd golwg o'r aderyn. Gosodwyd cwpanau ar soseri, a thynnwyd ambell i sigarét oddi ar wefusau er mwyn iddynt gael cip arall ar y wraig. Wel, roedd y gair od yn cael ei gynnig yn gynnil gan ambell un. Syndod iddynt oedd gweld crychni'r wên yn datgelu rhyw fflach dreiddgar ar ei llygaid. Fflach fyw, atgofus, yn tynnu pleser o gefn ei llygaid. Adlewyrchiad o'i thawelwch cysurus oedd llyfu'r sgonsen heb frys. Dros ei sbectol fe wyliai Ifor O. hi gyda blas blin ar ei dafod. Gwthiodd ei blât a'r domen o lwch sigarét i ben pella'r bwrdd.

'Ma'r blydi ddynes acw yn mynd ar fy nerfau i,' sylwodd wrth ei bartner heb dynnu ei lygaid oddi arni. 'Bob dydd Mawrth fan'cw bydd hi, fel delw. Mrs Buddha os gweles i un 'rioed—os drychi di, Del. (Den oedd ei enw, ond felly roedd hi rhyngddyn nhw.) Mae'i llyg'id hi'n edrych allan ffor' hyn, ond sbio i mewn maen nhw—yli.'

Er bod Den (neu Del) yn edmygu sylwgarwch ei ffrind, ni allai dros ei grogi weld dim ond hen wraig, fodlon 'i byd wedi'i lapio yn y mwynhad o lyncu sgon ac yfed coffi bob yn ail. Ei unig ymateb oedd, 'Pam?'

'Pam? Does gan yr oes yma ddim llawer i'w gynnig iddi. Byw mewn rhyw orffennol sentimental ma' hi. Tydi hi ddim yn ffitio fan hyn—unig ar y diawl ydi hi. Does gen i ddim amynedd hefo'r bobol 'ma sy'n gwrthod symud hefo'r oes . . .'

Mentrodd Den dorri ar ei draws, '. . . 'i gorffennol hi ydi'r presennol.' Lluchiodd Ifor olwg ffiaidd i'w wyneb. 'Rwtsh! Taswn i yn 'iste o flaen yr Amstrad yn y swyddfa, cyfrifon a dyledion y Cownsil yn dawnsio'n hurt ar y sgrin o 'mlaen i, mor ddi-hid â hi, a'r Chief yn galw am ffigurau . . . y sac fase hi i mi.' Llowciodd y gweddill o'r coffi yn swnllyd. Roedd ymateb Den yn un eitha cymodlon.

'Piti drosti sy gen ti, Ifor. Ti yn llond dy groen ac yn teimlo y dylet ti neud rhywbeth i leddfu ei hunigrwydd.'

Cerddodd Ifor allan, yn flin bod hen wraig yn ypsetio ei fywyd o. Wir, ma'r lle 'ma'n boblogaidd, meddyliodd Luned Philips, gan adael i furmur y mân sgwrsio lifo drosti fel llanw ar draeth y Morfa. Ni allai ond dotio at yr ystumiau, y codi aeliau, y cyfrinachu a'r sgwrsio annealladwy.

> Maen nhw'n ddigon o ryfeddod, William bach, dim taw, ysfa i rannu geiriau, janglo 'di'r gair—adar yn trydar—ie dyna fo. Gofiwch chi, 'rhen gariad? Lluchio'r ysgub olaf i ben y gowlas, y cynhaeaf o dan do, a'r hen gaseg yn ffrwtian ei phleser a'i ffroen yn yr awyr, Wil. Wedyn fe aethoch chi'n William parchus! Dech chi'n cofio fel y bydden ni'n iste ar y llorpie ar ôl dadlwytho, digon o chwerthin a llaeth enwyn. A rhes hir o wenoliaid ar yr hen weiren. Trydar di-baid, ac yn cyfnewid negeseuau â'i gilydd. Ond bod ene fwy o siarad gwag rownd y byrdde 'ma, wir dduwch.

Pigodd weddillion y sgon ar flaenau ei bysedd a llyfodd hwy o un i un. Y mwstas a gymerodd ei sylw. Pedwar yn eistedd wrth y bwrdd agosaf a'r naill yn wrjio sigarét ar y llall. Mwstas morfach yn ôl pob golwg, trwchus awdurdodol. Luned Jones, *read on please*. A hithau yn dotio cymaint ar fwstas doniol y sgodyn . . . *lost your place I suppose* . . . 'run fath â mwstas Taid y Gaergoed . . . *pay attention please* . . . a dwy Wdbein . . . *long tusked amp—amphibious eratic mammal* . . . mor llachar â ddoe. *Standard three*, a Wil Fedw yn rhoi proc iddi yn ei chefn. Cynhesodd drwyddi a sipiodd y coffi oer. Ond bod ganddo fo ddwy glustdlws.

'Blydi 'el, dim arna i ma'r bai 'mod i heb waith. Yli, Dil, tase Magi Thatcher yn . . .'

'Ie, rhoi'r bai ar rywun arall ma' hwn,' yn goeglyd wrth Jeff a Shirl, tystion mud i'r ffrae dros goffi, 'gwrthod mynd ar Y.T. trenin, a chreu helynt yn offis y Security, a gofyn i mi 'i dretio fo i goffi cyn i mi fynd ar *duty* i'r *Intensive*. A ble byddi di? Ar dy din o flaen y teli.'

'*Hard luck*, Gron, ma' David Hunt yn addo. Newydd gofio, Shirl, wedi addo mynd i *Travel Scene* am brochure, yndo (gyda winc slei arni i gael gwared â'r ddau gwerylgar yma). '*It's all go*. Coffi arall?'

'Mi elli di ddeud hynny eto—*all go*,' ychwanegodd Shirl, yn barsel tynn yn ei thracsiwt. '*Aerobics* pnawn, *hairdo* bore fory, Merched y Wawr . . . Tydi'r hen wraig acw'n edrych yn unig. Tase gen i amser mi faswn i'n mynd â hi am dro i'r parc yn y Mini.'

'Dyna'n union ddyliet ti neud, mynd â Mrs Philips am *run*.'

'Tase gen i blydi car . . . a phres i brynu petrol a . . .'

'Wel, ma'r amser gen ti. Galw am sgwrs—cadw 'peini iddi am awr.'

'Nid fy nghyfrifoldeb i ydi nyrsio hen . . .'

'Cymwynas, Gron,' awgrymodd Jeff yn nawddogol. 'Tase'r ffyrm yn . . .'

'Eff off, Jeff, ma'n haws gneud esgusodion na swyddi, mêt.'

'Paid, Gron. Tydi hi'n edrych mor hamddenol.'

'Mi neith *Cymorth i'r Henoed* . . .'

'A Chanolfan *Y Groes Goch* . . .'

'A'r *Meals on* . . .'

'Os ydi hi'n unig.'

Asiwyd eu hamheuon yn golofn o fwg uwch eu pennau. Stybiodd Jeff ei stwmp yn y soser a cherddodd allan. Nid aethant ar ei ôl. Dilynwyd ef gan ochenaid drist o gyfeiriad Luned Philips. Yn annisgwyl teimlodd dreigl o ddŵr oer i lawr ei meingefn, a phlygodd i'w chwman.

> Mi gawsom ninne'n siâr, yndo, William? Byw ar ein cythlwng lawer tro. A dibynnu ar Cochen a'i llo. Pedair awr fuon ni wrthi yn y weirglodd—tynnu'r llo, llo fanw a cholli'r ddwy. Adre'r aethon ni'n dau—pedwar papur punt yn y bocs tùn a dim sybseidi y dyddie hynny. Pendroni'n dawel, a'r coed tân yn tasgu dros yr aelwyd. Ond, dyna fo, mi ddaethom drwyddi. A wyddoch chi be, 'machgen i? Gwres y dyddie rheini sy'n fy nghadw'n gynnes heddiw 'ma.

'Digon o gwmpeini i chi heddiw,' meddai'r weinyddes yn ddigon ffals wrth estyn ei llaw i symud y cwpan. Ordors Sioned Puw. Doedd dim elw mewn gwagsymera uwchben staeniau coffi.

'Cwmpeini,' yn annaturiol o hallt, 'pwy soniodd am 'peini, 'ngeneth i?' Sgriblodd Boncyrs ar y pad i guddio ei hembaras.

'Fyddwch chi ddim yn mwynhau eich cwmni'ch hun ambell dro?'

'*Dead boring* 'di hynny. Ma' gen i *pad* hefo Vince yn Victoria Road.'

'Sut? *Pad*?'

'Shacio i fyny . . .'

'Shagio?' yn ei diniweidrwydd.

'Rhannu fflat. Vince yn boring hefyd. Dwi am aros am dipyn, wedyn *off* â fi.'

Trodd ar ei sawdl i guddio'r piffian sbeitlyd.

> Shacio! Ma'r oes wedi newid, William, rhywbeth debyg i gadw defaid dros y gaea siŵr gen i.

Fe'i gogleisiwyd gan y gymhariaeth. Chwarddodd yn fodlon wrth gerdded yn hamddenol at y cownter.

'Popeth yn iawn, Mrs Philips?' drwy sŵn cloch y til.

'Difyr iawn, Miss Puw.'

Tair ar Sbri

'Elô, elô, ELÔ!' â thimbr rhywiol ei lais yn tasgu o'r llawr i'r nenfwd fel y safai yn nrws y lolfa a'i fodiau yng nghesail ei bwlofer Fair Isle. Model ifanc o'r Dixon go iawn sylwodd Rhian, ar wahân i'r llais wrth gwrs. Yn eistedd ar stôl uchel wrth y bar coctel yr oedd Rhian pan gerddodd o i mewn, yn cogio edrych yn euog. A phan aeth y wên a lerciai yng nghorneli ei wefusau yn ormod i'r ddau, syrthiasant i freichiau ei gilydd. Rhedodd Dil ei fysedd drwy donnau naturiol ei gwallt cyn ei chusanu'n dyner. Daliodd hi o hyd braich.

'A be ydi ystyr y slacs melyn, y tei-bô jasi a'r rhuban dros un glust?'

'Rydw i, Syr, yn mynd allan heno—gyda ffrind,' yn fflyrtiog.

'Atgoffwch fi, Madam, a rois i ganiatâd i chi i fynd i glybio *down town*?'

'Emmeline Parkhurst a Nancy Astor a sicrhaodd yr hawl i mi gymryd noson i'm pleserau fy hun, ac y mae nos Fawrth, Mai y pymthegfed yn un o'r nosweith . . .'

'Ac os caf fod mor feiddgar â gofyn,' wrth ei denu i'w hafflau, 'be sy a wnelo Nancy Astor â rhyddid gwraig Dilwyn Williams?'

'Ateb syml,' yn llithrig iawn. '*Women's Lib*, boio.'

'A be am *Men's Lib*?' wrth ei thynnu i feddalwch y glwth. Ffugiodd Rhian ei wrthwynebu gyda'i gwichiadau iach nes i Dil eu boddi gyda'i gusanau. Llonyddodd y ddau ym mreichiau ei gilydd, eu hanadlu yn wyllt a'u hanwesu yn gynnil gynnes. Yn ysgafn rhedodd Dil ei law o dan y tei-bô i gwpanu ei bron yn gariadus. Ei hymateb oedd clymu gwallt ei war am ei bysedd a'i dynnu i lawr drosti. Yna fel mellten lluchiodd ei hun oddi wrtho a'i sadio ei hun ar ei *stilettos*.

'Yli, mêt, wyt ti'n meddwl 'mod i yn mynd i droi cefn arnat ti am bum munud a thithe mor randi â bwch?'

'Wel, bwch cocwyllt sy gen ti ar dy ddwylo heno, ond o barch i ymdrechion Emmeline Pankhurst dros ryddid chi'r genod, mi gymera i gawod oer a Spritzer, *with ice*, wrth gwrs. Ac mi rwyt ti'n haeddu dy noson rydd, bla del fy nghalon.'

Fe ailrwymodd Rhian y tei-bô, tynhaodd wasg ei slacs cyn ei wynebu. 'Mi wn mai hopian i dai ein gilydd y bydd Nora a Siân a minne, ond ryden ni'n tair yn cytuno y dylem fynd ar sbri, allan o awyrgylch y gegin a'r gŵr o dro i dro.'

'Och! Y siom! A finne'n edrych ymlaen at fflyrtio hefo Siân dros sisial sensiwys y percoladur poerllyd . . .'

'Sarhad ar ein hiaith—a thithe'n bennaeth yr Adran Gymraeg. TGAU'n ôl that.'

'Ma'r tro slei ene yn 'i thin hi wrth iddi gerdded yn . . .'

'Taw! *Gigolo*. Neu dos â dy 'O! Sole Mio' i Fenis.' Disodlwyd ei phryfocio gan don o euogrwydd, estynnodd wydryn o *Harvey*'s iddo a chydiodd yn llaw Dil.

'Mi arhosa i gartre, 'nghariad i. Rydw i wedi bod yn aros am gyfle i wrando ar gasét newydd Bryn Terfel—ni'n dau.'

'Na, dos hefo dy ffrindie i fflyrtio yn Marco's wrth y Cei,' slyrpiodd y sieri cyn mynd ymlaen, 'a mi ga' inne iste o flaen y teli yn gysglyd a chyfoglyd wrth wylio *Dinas*, cyn rhoi'r ffidil yn y to a gwylio'r teli yn siarad â hi ei hun.'

'Ond o ddifri, Dil, tasen ni'n aros yma heno, be fydde'n

sgwrs ein tair? Y ddwy, i ddechre, yn mynnu gweld y wisg a brynais echdoe yn Debs, wedyn trin y plant, Gareth ni â'i ddolur gwddw, arholiad clarinet Iolo, a chwydd diweddara Gwenllian (ma' Nora yn pobi chwydd newydd ar gyfer Gwenllian bob wythnos), costau byw, streic yr athrawon (a does gan yr un o'r ddwy gydymdeimlad â thi), priodas stormus y Wilkes, gweinidog trendi Carmel —crys T a chanu pop ar y Sul—diogi'n gwŷr . . .'

'Feddylies i 'rioed,' drwy ochenaid drist, 'eich bod chi'r merched mor brin o destun sgwrs. 'Be hoffet ti i'r gŵr diog yma neud tra byddwch chi'n ymlacio ymhell o boen y byd?'

'Mmm, cer drwy'r papur bro, *freebies* y dre 'ma—*Star*, *Free For All*, a *Minimart*, a thor allan bob cwpon sy'n cynnig dwy geiniog i ffwr', neu ddau am bris un neu—wel, mi gei di amser grêt. Gyda llaw does ene'r un ar dudalen tri'r *Mirror*.'

Yn gyflym, neidiodd Rhian i gysgod y rhannell rhyngddynt a'r alcof fwyta. Oddi allan yn Rhodfa Dewi fe glywsant bi-bi-bipian main y Fiat y meddyliai Nora gymaint ohono. Yr oedd meddiannu rhywbeth ail-law yn rhoi pleser plentynnaidd iddi hi. Nid oedd ei ffrindiau honedig yn brin o atgoffa ei gilydd mai gŵr ail-law gafodd hi hefyd.

Pan glywodd y corn, oerodd Rhian drwyddi. Yr oedd eu hwyl cariadus ac awyrgylch glòs y lolfa yn gweiddi am noson o flaen y teli, coctel neu ddau a gwely cynnar. Cyn iddi fedru taflu'r awgrym i Dil, agorwyd y drws ffrynt a rhedodd Siân i mewn.

'Rhaid i mi gael un gusan gan Rambo. Sgiws mi, Rhian. Ffonia Marco os byddi di'n unig, Dil,' gan blannu cusan fflamgoch ar ei rudd.

'Wow!' gan ffugio simsanu. 'Rhaid fod y rhimyn lliw glas sy gen ti ar dy amrannau wedi rhoi rhyw glamp o *oomph* i ti, Siân.'

Heb amcanu ateb brysiodd y ddwy o'r tŷ, eu chwerthin yn gymysg â'u ffarwelio. Arafodd Siân ar y dreif, 'Gwranda, Rhian, ma' Nora mewn *two piece, lilac, very with it*, del hefyd.'

'Ail-law, siŵr gen i.'

'Wel, *Nearly New*, Stryd Parc,' a'r ddwy yn brwydro i gadw wyneb syth.

'Hi, Nora,' a diflannodd y tair yn un gigl fyrlymus yn y Fiat.

Wyneb yn wyneb â phrofiad cymharol ddieithr i'r tair, goddiweddwyd hwy gan dawelwch annisgwyl. Syllasant yn dawedog ar lonyddwch min nos sybyrbia drwy byllau o olau melyn lampau'r rhodfeydd, a'u ffril glaswyrdd, ci yn llusgo ei berchennog anfoddog, a lonciwr yn rhedeg yn fwy esmwyth na char Nora. Ei blerwch yn crensian y gêrs a orfododd Rhian i ganu, 'Tair merch fach ar *binj* ŷm ni, hwyl a chlonc a blydi sbri . . .'

'O! Rhian, paid â mwrdro'r Mikado, a phrin dy fod ti'n gneud dim daioni i'r car 'ma,' wrth wylio Nora yn ymladd â'r gêr-bocs.

Roedd eu chwerthin mor fain â bipian y Fiat wrth i Nora geisio osgoi cath ddi-feind, symudiad herciog a'u taflodd yn erbyn y seddau blaen.

'Blydi 'el, Nora, sut siâp fydd arnat ti ar ôl gwydriad? Rydw i'n dechrau amau'r brwdfrydedd i droi cefn ar yr Hôm Ffrynt am unwaith.'

Yn amddiffynnol cododd Nora ei llais, 'Tydw i ddim yn arfer dreifio liw nos. Mi fase Martini a jangl yn y lolfa yn grêt i mi.'

'Be ti'n feddwl o'r siwt?'

'Run lliw â chrys T y Parchedig *With It*?' holodd Siân yn goeglyd.

Yn ei chornel ochneidiodd Rhian yn dawel. Neit owt neu beidio, yr un hen sgwrs. Pesychodd yn goeglyd,

'Rydw i wrthi'n darllen un o lyfrau'r Academi, *Cerddi Clasurol Groeg*.'

Cododd Nora ei throed oddi ar y sbardun a sbiodd Siân yn slei ar Rhian, fel pe bai heddlu'r anadlydd wedi camu i'w llwybr. Distawrwydd.

'Wyt ti'n cael blas arno?' gan bletio ei cheg.

'Dybl Dutch,' mor ddidaro â barnu stwns echdoe. Cariwyd hwy i'r maes parcio gan ei sgrechian gwneud. Roedd gweld yr enw MARCO yn fflachio'n wahoddgar yn creu nerfusrwydd. Dechreuodd Siân ystwyrian yn ei sedd.

'Be haru ti, 'sgen ti ffuret yn dy nicars?' bloeddiodd Rhian dros grwndi cleciog y Fiat. Mwy o sbort, fel esgus i aros yn y car. Ymroisant ati i ymbincio eu hunain a chwistrellu persawr dros ei gilydd.

'Dew, mi fasen ni'n grilio'n grêt ar ôl socian yn y stwff 'ma,' sibrydodd Siân wrth wthio ei hun allan heibio i sêt ffrynt y Fiat. Rhedwyd dwylo nerfus drwy wallt a phletiau sgert a bagiau llaw fel y cerddent i gyfeiriad y fynedfa a heibio i'r bownsiwr trwyngoch, yn ei siaced werdd or-lac a'i lodrau gwynion gor-dynn. Llithrasant heibio yn euog.

'Sgwn i be 'di seis . . .'

'Parti glân 'di hwn, genod,' mynnodd Nora yn sydêt. Ar ôl dod dros y sioc o dalu pum punt tâl mynediad, dilynasant Rhian i fwrllwch lliwgar lolfa fawr, gan gerdded yn araf fel tasen nhw'n chwilio am sêt wag yn y capel Noson Cymanfa Ganu. Denwyd hwy at enfys o lwyfan lle'r oedd merch mewn awgrym o wisg ddu yn ceisio llyncu'r meic wrth fyddaru'r cwsmeriaid. Fel y cynefinent â'r awyrgylch fyglyd a'r chwiloleuadau tanllyd, fe wawriodd arnynt mai criw go frith oedd yn slotian (gair Nora) ac yn swagro a siglo bob yn ail (disgrifiad Siân) o'u cwmpas.

'TI ddeudodd bod o'n lle rispectabl, Nora.'

Ond arbedwyd Nora rhag ateb gan ymddangosiad lliprryn main mewn crys pinc a sbectol dywyll, '*Hello, ladieth, it'th a pleathure to welcome you.*'

'Cymro wyt ti, del?' mentrodd Siân yn sobor. Fel mater o egwyddor ac aelod cyflawn o Gymdeithas yr Iaith, dyna oedd ei chwestiwn cyntaf mewn cwmni dieithr. Ysgydwodd yr hogyn ei ben yn drist, '*No, but me Mam wath Welth from Poothelly, livth in the Pool,*' wrth sgwario ei ysgwyddau.

'*Pool?*' holodd Rhian yn ddiniwed. 'Pwll Siloam ti'n feddwl?'

'Gad iddo fo, Rhian,' sibrydodd Nora yn bwysig. Rhythodd y ddwy arni. Safai'r gweinydd â'i bensel rhwng ei ddannedd.

'Reit, be gym'rwn ni? Bacardi a Coke i mi,' arweiniodd Siân.

'*Spritzer* i minne,' ychwanegodd Nora, 'gyda rhew, boi, *with ice*. Rhian, be amdanat ti?'

'Gin 'n T a digon o lemon—*plenty*.'

'*My pleathure*,' wrth gynnig cnau hallt iddynt. '*Liverpool—up the Redth*. Gweodd lwybr yn fân ac yn fuan drwy'r dorf. Tra arhosent am eu diod unasant yn y Tŵr Babel o'u cwmpas, sgwrsio diddeall, clychau peiriannau slot, tincial gwydrau a chrechwen gorllyd ffyddloniaid cornel y bar.

Dygwyd eu harchebion i'r bwrdd gan slob tew mewn

slacs nad oedd yn llwyddo i gadw ei fol mewn siâp. Trol-iodd yn ôl at y bar.

'Hwnne wedi llyncu gormod o furum. Iechyd da, genod, i'r gyntaf o'n nosweithiau allan hefo'n gilydd.' Codwyd y gwydrau yn hamddenol.

'Wel, fase ene ddim dewis fel hyn o ddiodydd gartref,' meddai Rhian yn dalog. Fel un rhoisant eu gwydrau ar y bwrdd bach. Roedd y gair CARTREF wedi disgyn fel lwmp o rew i'w gwydrau. Edrychasant o gwmpas yn wyllt. Sut roedd y clybwyr anghyfrifol 'ma yn medru troi cefn ar eu plant a . . .? Siân gynigiodd ateb.

'Shacio hefo rhyw gringo mewn *bed-sit* i lawr wrth y cei maen nhw . . . a thalu pînyts i rhyw foi i babysitio . . . a hwnnw'n abiswio'r . . .'

Torrwyd ar ei thraws gan Nora, 'Hei, tydi ddim yn rhaid i ti anghofio dy Gymraeg yng Nghlwb Marco. Heblaw hynny, mwynhau eu hunain dros beint a sglodion ma'r rhelyw.'

Boddwyd ei geiriau gan daran o lais cras o'r meic, '*Laa-dies 'n Gentl-maen, let me introdooce our lov-erly singer, Samantha Corina Jones from . . . where d'ye come from, gel? god, I can't pronounce that place. An' she will sing forr you 'Baby, me croc-o-dile loves youz'.*'

Yn sŵn ffanffer anghytsain drwm, piano, trombôn a chlarinet, a dyrnu gwydrau ar fyrddau gwlybion fflowns-iodd merch goeshir i'r llwyfan gan ledaenu ei chyrtsi yn hael i bob cornel dywyll o'r llawr. Anwylodd ei meic wrth lunio stans rywiol â'i chorff, ei breichiau a'i chlustiau yn sglein o drimins artiffisial. Gyda mwy o syndod nag o edmygedd tawodd y dorf, a thaflodd Samantha ei hun i lifeiriant o synau annealladwy. Ailafaelodd pob byrddaid yn eu sgwrs. A'r tair yn anghysurus, nes i Rhian weiddi drwy'r sŵn, 'Ylwch, genod, sgert at 'i bogail, a fase waeth iddi fod yn *topless* ddim.'

'*String vest* sy gen i a'r gweddill o'r owtfit—hynny sy ohono—wedi eu prynu hefo pres *Social Security* wsnos yma!'

Chwarddodd yn anogol, ond cyndyn oeddynt bellach i ymateb. Tynhaodd Nora ei sgert dros ei phennau gliniau yn slei, pan welodd *smoothie* yn swagro at y bwrdd.

'Hi! Pwy sy am *twirl* hefo mi? Band grêt 'di hwn.'

'Dwi wedi clywed gwell organ capel,' dros ei hysgwydd.

Wrth sylwi ar eu difaterwch, awgrymodd yn fwy cwrtais,

'Wel, caniatewch i mi godi'ch calonnau gyda gwydriad, neu hanner un, neu *Tia Maria*?'

'Dim diolch, aros am fwyd, thenciw,' atebodd Nora yr un mor gwrtais. Gan droi min arnynt, gafaelodd ym mraich Siân, 'C'mon, *snooty*, gen ti *boobs* del.'

Neidiodd Siân ar ei thraed yn gaclwm, 'Dos odd'ma'r blydi crocodeil.'

Cerddodd oddi wrthynt yn sorllyd a throdd ei lygad ar ddwy arall wrth y bar.

'Fase'n well gen i ddawnsio hefo Jeifin Jenkins—a ma' hynny'n deud go fawr,' drwy ei dannedd. Roedd gwenu'n mynd yn anos bob munud, ac aeth y sgwrs mor fflat â hen beint. Nid y dawnswyr yn crafu tinau ei gilydd, na charfan ddisymud ar bwys y bar a welent, ond sinc yn llawn o lestri, plant yn swnian a llond sgrin o *Pobol y Cwm*. Goddiweddwyd hwy gan ysfa i glywed galwad o'r llofft, '*Mam, llymed plîs*,' neu'r meicrodon yn tincial, neu strymian gitâr yn y lolfa.

Nora a roddodd yr haearn yn y tân, 'Nid dyma'n lle ni,

genod, rhwng hwtar y ferch a'r clecian a'r bwrlwm, ma' hi fel llawr ffatri. Mi awn ni am sglodion ac adre i'n tŷ ni.'
Gwyliodd y ddwy yn pendroni.

'Na, noson i godi aeliau a gostwng gwallt ydi heno i fod. Mae'n gynnar eto a mi fydd ganddyn NHW adre ddeunydd tynnu coes am oes mul os awn ni,' heb lawer o argyhoeddiad. Ond yr oedd meddwl am y tri yn lolian o flaen y teledu yn gwylio'r gêm, neu'n sipian *bitter* o dun yn eu gwanio.

Glynodd Siân wrth ei hawgrym, 'Snac brysiog a . . . Hei! Tri gwydriad o win sych a thri chyw mewn basged—ar frys.' Tacluswyd gwefusau i aros. Ofer oedd brwydro yn erbyn y disgo ac anniben oedd y sgwrs.

'*Gig* iawn i'r arddegau . . . hanner llwyaid o sunsur . . . *Jim, get me a half* . . . styfnig fel mul . . . *yoga* nos Fawrth . . . yn sgil chwyddiant . . .'

Diffoddwyd y meic a syfrdanwyd pawb gan y distawrwydd. Nora a bigodd y sgwrs i fyny eilwaith, fel iâr ar fuarth.

'Ma' Gwenllian mewn trwbl eto. Chwydd ar ei hysgwydd dde, hyll yr olwg hefyd. Mae Dr Howells yn bryderus,' gan droi ei golygon tua'r gegin.

'Rwyt ti'n edrych fel tase ti'n disgwyl ei weld o'n dod o'r gegin hefo tabledi a'r *chicken in the basket*. Plant ydi plant, a neit owt ydi cyw mewn basged!' arthiodd Rhian, er syndod i'r ddwy arall.

'Ond fedrwn ni ddim eu hanwybyddu,' meddai Siân yn gymodlon. 'Cymer di Iolo ni yn poeni am ei ail brawf gyda'r clarinet. Reit siŵr ei fod o'n effro braf, methu cysgu, a'i dad, synnwn i ddim, yn cysgu hefyd a'r *Faner* ar lawr.'

'Yn hollol, Siân ac nid rhywbeth i'w anwybyddu ydi chwydd.'

'Wel, Nora, picia i'r cyntedd, ma' 'ne ffôn yno, a rho alwad sydyn i fodloni dy hun.' Yr oedd Nora ar ei thraed mewn eiliad. Cododd Siân.

'Waeth i mi ddod gyda thi. Mi geith Ron neud paned o Ovaltine i Iolo.'

Taflodd Rhian ei bag dros ei hysgwydd. 'A finne, wedi'r cwbl . . .' ond collwyd ei geiriau yn eu brys i fod am y cyntaf i gyrraedd y ffôn yn y cyntedd.

Yn ofer y chwiliodd y gweinydd am y tair hoeden wrth iddo droelli'r hambwrdd yn fedrus ar gledr ei law. Llowciodd gegaid o'r *Spritzer* cyn swagro'n ôl at y bar yng Nghlwb Marco.

Yr Erstalwm Agos

Profiad digon annifyr yw gwgu'n ffromllyd ar hen ffrind. Dyna'n union a wnaeth Jac Wilias am hanner awr wedi saith un bore. Fe safai'n wyrgam â'i feingefn yn dynn yn erbyn y mwsog ar bostyn y giât. Nid oedd yn malio yr un dam fod pig ei gap stabal yn llercian ar ei dalcen mor llipa â deilach diwedd haf. Ar bostyn arall y penwar yr oedd robin goch yn ei wylio'n unllygeidiog. Gwrthrych ei ddicter oedd yr hen feic *fixed wheel* ar bwys y llwyn drops cochion. Yr oedd Jac ar bigau'r drain, ac yn cael ei demtio i'w falu'n rhacs gyrbibion â'r caib yn y sièd. Nid oedd bod mewn styffîg yn brofiad newydd i Jac, ond fel arfer gallai ei ysgwyd i ffwrdd fel Wyandot yn sgrytian yn yr ardd. Yn groes i'r arfer, nid oedd ei dun bwyd ar ei ysgwydd ac nid oedd yn gwneud yr ymdrech leiaf i bwmpo'r olwyn ôl. Roedd hynny'n syndod i'r robin goch. Disgynnodd pen Jac ar ei frest a theimlodd oerni bwcl ei oferôl yn crafu ei ên. Damiodd drwy ei ddannedd i fwrw ei lid.

Yn sydyn drylliwyd y tawelwch gan wich a chlec ffenestr llofft yn cael ei hagor.

'Cerwch ar ben y beic 'ne, ddyn, yn lle sodro'ch hun yn fan'ne fel polyn lein. Rydech chi mor ddi-asgwrn-cefn ar eich traed ag yr ydech chi yn eich gwely.'

Trodd Jac at y robin goch am gydymdeimlad, ond yr oedd y llais cras wedi ei ddychryn. Caeodd Lisi y ffenestr a mowldiodd ei hun eilwaith i gynhesrwydd y gwrthban. Yn ei gythrel brysiodd Jac at y beic, a chanodd y gloch yn wyllt, cyn rhoi cic iach i sbocsen neu ddwy. Anaml y byddai protest Jac yn un mor feiddgar. Edifarhaodd ar unwaith. Mor annheg oedd bwrw ei lid ar hen ffrind gyda'i ffrâm rydlyd, lamp garbeid a sgerbwd o sêt ledr. Poerodd yn ymddiheuriol ar lawes ei smoc cyn mynd ati i roi mymryn o sglein ar y gloch.

'Hebddot ti, was, mi fydde hi wedi bod yn ddrwg arna i, lawr i'r pentre, siop y crydd, Ffair Glame, Cymanfa, Jos Eiarnmynger, a thros y wlad 'ma wrth ennill fy nhamed. Ond pam gythrel y bu raid i ti fynd â mi dros y mynydd i ga'l gwraig, wn i ddim. Faswn i ddim yn y potes rydw i ynddo fo'r bore 'ma, yn un peth.'

Symudodd i gysgod y sièd o olwg y ffenestr a thynnodd ar ei getyn i'w dawelu ei hun. Wrth gwrs, fel arfer, y hi oedd ar fai. Smwddio yr oedd Lisi pan gyrhaeddodd Jac adre o'i waith y noson cynt. Pin cam wedi llacio a chwalu ei gwallt, cerpyn tamp ar ei hysgwydd a brat plod hefo rhwyg yn y boced.

'Diwrnod braf, Lisi,' wrth daro ei lif a'i gynion ar gadair wellt.

'Nid yn fan'ne,' heb godi ei golygon. Poerodd ar yr haearn.

Yn ufudd symudodd Jac ei offer a'u gosod wrth ochr yr harmoniym. Bachodd ei oferôl ar y drws dan staer. Cynefinodd â'r arogleuon arferol, dillad llaith dydd Llun, llefrith wedi berwi drosodd, surni crêst o doddion yn y badell a thraed chwyslyd.

'Cerwch i nôl jegyn o lo ar y tân, ac nid shwrwd.'

'Ma' hi'n drybeilig o boeth yma, Lisi.'

Tawodd wrth wylio Lisi yn fferru, a'i hysgwyddau sgwarrog yn drwm ar yr haearn. 'Ie, unrhyw esgus, fel arfer.'

Llamodd Peredur i mewn â chwisl o bren cyll rhwng ei

ddannedd a Miriam wrth ei gwt yn hymian, 'Helô, Dad,' fel y bydd plant.

Roedd eu preblan yn llenwi'r gegin fechan a'r tri law yn llaw.

'Wel, llai o sen, 'rhen blant, steddwch,' meddai Jac.

'Oes raid i chi arthio arnyn nhw fel tase nhw'n anifeiliaid?' wrth ddyrnu'r haearn ar ei grys gwlanen. 'Cerwch i iste ar y grisie, y tacle swnllyd.' Swatiodd y ddau, a'r ofn yn eu llygaid yn adlewyrchu eu penbleth. Roedd rhedeg adref weithiau run fath â mynd i dŷ pobl ddiarth. Yr unig sŵn oedd hisian yr haearn poeth wrth dynnu'r ager o'r dillad.

'Ydi'r swper yn barod, Lisi? Teimlo ar fy nghythlwng braidd.'

'Mi wyddoch lle ma'r popty a mi lowciwch o fel arfer.'

Agorodd Jac ddrws y popty a gosododd blatiad llugoer o stwns ar yr *oilcloth*. Eisteddodd yn ei gwman dros y plât. Gŵr eiddil oedd Jac, yn cerdded wysg ei ochor, yn bwyta drwy ochr ei geg ac yn siarad drwy ei drwyn. 'Gwaedu i mewn y bydd Jac,' oedd barn ei chwaer, Nel. Wedi iddo glirio'r platied o stwns, eisteddodd yn fyfyriol yn ei gwylio yn creu patrwm o ddillad starts wrth eu gosod ar yr hors ddillad o flaen y tân. Mi roisai rywbeth am lymed o ddiod ddail y funud honno, ond tewi wnaeth o. Heb dynnu sylw ato ei hun, peth amhosibl yn y tŷ un llofft, fe dynnodd Jac ei esgidiau a gorffwysodd ei draed ar y pentan. Pletiodd ei fysedd am ei fresys cyn setlo am gyntun. Ochneidiodd yn obeithiol wrth gau ei lygaid. Peidiodd clecian yr haearn ar ddillad hanner sych.

'Wel!'

Medrai Jac ddarogan sgiamio Lisi mor gywir â phroffwydo'r tywydd. Ac i ohirio'r funud, byddai'n dianc i fyd ffantasi. Tynhaodd ei afael ar ei fresys, a gwyliodd ei hun yn eu clymu am ei gwddf a'i ledio o gwmpas y pentre jest i ddangos i'r merched straellyd nad cadi ffan o dan fawd ei wraig oedd Jac Saer.

'A be sy'n mynd i ddŵad ohonon ni, sgwn i? Dyma chi heb waith eto. Mynd ar liwt eich hun, wir Dduw. Tair joban mewn deufis—chydig o lechi ar do Tŷ Capel, coes cadair i Lena Becws, a llorpiau i drol Ifas Bryn Ebol. Dim digon i gadw ffuret heb sôn am 'y nheulu annwyl i.'

Taflodd olwg ddigon oeraidd i waelod y staer. Roedd y ddau wedi cydio'n sownd yn y chwisl. Taenellodd Lisi ddŵr dros rai o'r dillad cyn codi haearn poeth o'r gwres. Cydiodd Jac yn dynn yn ei fresys a daliodd ar ei wynt.

'Dim ond ffŵl fel chi fase'n rhoi ei waith hefo Wmffris Bildar i fyny. O ble mae'r geiniog nesa'n dod, a Bowen Siop Fach yn bygwth cau'r llyfr cownt? Rydech chi mor ddisymud â'r beic *fixed wheel* ene sy'n y sièd. Prin y medrech chi godi'r croen o wyneb y ddysgled bwcin 'cw, y sleboch diog.'

Yn y gwyll yr oedd fflamau'r tân yn taflu cysgodion ar y muriau. Goleuodd Lisi y lamp baraffîn a thaflodd y sbilsen i'r tân. Yr oedd pryf clust yn cerdded ar draws croen y pwdin reis. Rhwng ei phlagio a gwres yr haearn yr oedd wyneb Lisi yn ddu-goch. Doedd o ddim am iddi gael strôc tase'n ddim ond er mwyn y plant.

'Diweithdra'r tridegau, Lisi. Hefo crefft mi ddaw gwaith. A'r llywodraeth yn gyndyn . . .'

'Dyffeia i chi roi'r bai ar y dyn Macdonald ene yn Llundain. Fel tase genno fo ddim digon ar 'i blât, y c'radur. Mi ddaru'n chwaer Magi Sal fy warnio i. "Does ganddo fo ddim cnegrwth o stwffin yn 'i fol," medde hi. "Paid â'i briodi fo".' Ymsythodd Lisi yn herfeiddiol.

'Mater o raid oedd hi yntê, Lisi?' Pesychodd yn nerfus.

Fflatiodd Lisi fel swigen mochyn, gollyngodd yr haearn a llosgwyd twll yng ngholer wen Jac.

'Rhag eich cywilydd chi! Yng ngŵydd y plant, y pethe bach.'

Er bod y ddau wedi hen arfer â'r ffraeo, fe synhwyrent fod rhywbeth hyll iawn wedi ei ddweud. Lluchiodd Peredur ei fraich dros ysgwydd Miriam. Peth hyll, run fath ag Yncl Jo yn boddi cathod bach Twpsi.

'Paid â chrio, Mim.'

Teimlai Jac yn chwil, ei ben yn troi a'i fol yn rhowlio chwerthin. Jac Wilias wedi troi min a'r briw wedi cyrraedd at y gwaed. Cododd ac estynnodd ei esgidiau hoelion o'r ffendar stîl. Reit, dawns y glocsen amdani. Torsythodd, er nad oedd ei stans fawr mwy effeithiol nag iâr ar ddiwrnod gwlyb.

'Wel, dene fi wedi deud fy neud, Lisi. He, he . . .' yn llond ei groen. Roedd Lisi wedi cael ei gwynt ati. Ac yr oedd coesau Jac yn gwegian. Tynnodd ei brat plod a lluchiodd ef i'r fasged. 'Dyna ben arni, mi rydw i a'r plant yn mynd at fy chwaer, Magi Sal. Mi gawn groeso ar ei haelwyd hi, a rhyngoch chi a'ch potes.'

Y sopen, yn defnyddio'r plant i'w gornelu o. Daliodd ei dir.

'Na, mi a' i, Lisi, allan o'r ffordd, ac mi . . .'

'Does ene ond un lle yr ewch chi, mei lord—i chwilio am y dôl. Rho glo ar y drws, Peredur, a thyrd â'r allwedd i mi.'

'Y dôl! Na, Lisi! Aeth yn llipa, syllodd arni'n gegrwth.

Y dôl! Roedd y gair, a wyneb eu tad yn gwneud y dôl yn beryclach na bwgan y Ffordd Las yng ngolwg y plant. Cripiasant i fyny'r grisiau.

'Y dôl neu dŷ'n chwaer. Dewiswch chi,' gan daflu'r gweddill o'r smwddio i'r fasged yn fuddugoliaethus. Dilynodd y plant i'r llofft.

Yn wancus llanwodd Jac ei ysgyfaint â gwynt iach y bore. Dilynodd ehediad haid o ddrudwy swnllyd i gadw ei feddwl oddi wrth hunllef y noson cynt. 'Jac Wilias ar y dôl,' tiwn gron drwy'r nos wrth geisio gwneud ei hun yn gyfforddus ar gadair oer y gegin. Os oedd o dan ei phawen o'r blaen, roedd hi wedi ei sathru i'r baw neithiwr. O'i gwmpas yr oedd yr ardal yn deffro. Huwcyn yn galw'r gwartheg i'r côr; 'shwc, shwc, shwc.' Dora â llond ffedog o india corn; Defi Saer Maen yn tanio'r Raleigh; a chwynfan main y *separator* ym mriws Llwyn Celyn. A dim un wan jac ohonyn nhw ar y dôl. Drwy'r ardal fel tân gwyllt, 'Hei, ma' Jac Wilias ar y dôl.' Roedd y gwewyr yn nhwll ei fogail yn ei ddarnio. Heb reswm arbennig daeth cyngor hen saer i'w gof, 'mesur ddwywaith, torri unwaith.' Gwthiodd y cyngor i gefn ei feddwl.

Agorwyd ffenestr y llofft eilwaith. 'Ma' Mam yn deud, cerwch i'r dôl yn syth bin.' Roedd y sturmant yn ddidrugaredd.

Haliodd ei hun at y beic. Fase'n dda ganddo fo gael gwared â'r cyfog.

'Wel, 'rhen gyfaill, does ganddon ni ddim dewis. Mynd gerfydd gwallt fy mhen. Er mwyn y plantos.'

Cododd olwyn ôl y beic yn glir oddi ar y llwybr a rhoddodd bwysau ei droed dde ar y pedal i wneud yn siŵr bod y *fixed wheel* yn mynd i frecio'n iawn. Bachodd y clipiau am waelod ei drywsus, taflodd ei goes dros y ffrâm a setlodd ei hun ar y sêt. Ymlaciodd Jac yn araf, roedd o a'r beic yn deall ei gilydd a cheisiodd anghofio pwrpas y siwrnai. Roedd grwndi metelaidd cadwyn y beic yn fiwsig i'w glust, ac yn ddiarwybod iddo 'i hun dechreuodd ganu'n hwyliog,

'Mi dafla maich oddi ar fy ngwar, wrth deimlo . . .'

Adwaith digon naturiol i godwr canu yn sgil y rhyddid dros dro. A goblygiadau ei ddyhead heb wawrio ar ei feddwl cymysglyd. Er mwyn y plant. A'i draed yn gadarn ar y pedalau chwyrlïodd drwy'r pentref, er mwyn osgoi sylw'r ardalwyr. Neb o'r ardal ond y fo yn gorfod 'seinio'r dôl'. Ildiodd i fowndio mympwyol y teiars a chwmpeini ei ffrind dibynnol. Toc cyrhaeddodd groesffordd ar waelod Allt y Garreg Las, arafodd, gwthiodd ei droed chwith i'r clawdd gan gadw ei ben ôl ar y sêt. Taniodd Wdbein. Chwaraeodd â'r lamp garbeid. Ailsetiodd ei fresys ac archwiliodd y gwrym ar ei ddannedd gosod. Rhywbeth i'w gadw yn ei unfan. Disodlwyd yr iwfforia gan realiti. *Name*? *Occupation*? Gwlad dramor oedd yr *Exchange*. Coler starts a desg uchel. 'John Nehemiah Williams.' *How do you spell it*? Ne . . . *Funny Name*!' Dewis ei dad. 'Rêl bildar a chrefftwr o'r iawn ryw, yn ailgodi Jerwsalem ar ôl y llanast, os gwnei di hanner cystal ag o 'ngwas i . . .'

Roedd y wên ar wyneb Jac yn un eitha gonest wrth feddwl am y llanast yn ei fywyd o ei hun y bore hwnnw.

O'i flaen yr oedd y tyrpeg, odyn galch ar y chwith, hen fildings y Degwm filltir nes draw, ac ymhen rhyw bum munud wedyn fe fyddai ar gyrion y dref. Ychydig iawn o ymdrech a wnâi ei goesau i gwtogi'r pellter, ac yr oedd Jac yn fwy na pharod i gyffwrdd y brêc ar unrhyw esgus. Yn wir, dim ond er mwyn y plant yr oedd o yn symud o gwbl.

'Dipyn mwy o'r *free wheel*, 'rhen ffrind,' yn obeithiol. Ar ei waethaf nesáu yr oedd y dref. Yn sydyn sylwodd nad oedd y beic yn ymateb i'r pedalau, a chlywodd wich boenus o gwmpas sbroced yr olwyn ôl. Gyda phob tro ar yr olwyn fe gynyddai'r brotest. Un hergwd go iawn, clec yn yr olwyn ôl, a gwrthododd y beic ei gario droedfedd ymhellach.

Rhwng chwerthin a chrio, fe lusgodd Jac y beic i'r clawdd wrth furddyn y tollborth. Gyda sbaner o fag y beic llaciodd a thynhaodd bob sgriw a bollt, llwyddodd i gael hanner tro yr olwyn ôl, cyn iddi gloi eilwaith. Roedd yr hen feic wedi nogio. Syllodd Jac yn hurt ar ei feic yn gorwedd mewn llwyn o ddanadl poethion. Cyfyngodd ei deimladau am rai eiliadau i blyciau o biffian boddhaus, cyn ffrwydrad afreolus o chwerthin dros y wlad. Taflodd ei gap pig dros y gwrych i glytwaith lliwgar o geiliogod ffesant. A'u chwerthin hwythau yr un mor swnllyd.

'Wel, fy hen ffrind, y ti sy wedi trechu Lisi—am ddiwrnod o leia.'

Eisteddodd Jac ar y clawdd i sychu'r oel oddi ar ei ddwylo â dyrnaid o ddail tafol.

Emlyn Druan

Drwy flew ei llygaid syllodd Glenys Orme arni ei hun yn y drych. Agorodd ei cheg yn llydan cyn gwthio ei thafod allan a'i sleifio fel slywen dros ei gweflau.

'Iesgob, fel llwyed o fwstard, tawn i'n clemio,' a brathodd ei thafod i'w hysio'n ôl i'r daflod. Agorodd ei llygaid i archwilio ei hwyneb yn fwy gofalus.

'Wir dduw, rydw i'n edrych fel iâr a'r clwy arni,' drwy ffwdan o chwerthin gwirion. Sobrodd. Gwasgwyd hi'n ôl ar ymyl y gwely gan euogrwydd a thaflodd y drych ar y dresin tebl. Nid oedd yr ochenaid yn un gwbl argyhoeddiadol. Crimpiodd ei thrwyn wrth ailddechrau snifflian chwerthin.

'Rhag dy gywilydd di, Glenys,' drwy ei dannedd, 'nid Glen Lolen wyt ti heddiw. Dangos fymryn o barch, a rho jegyn o lo ar y tân.'

Rhowliodd i lawr y grisiau, ei gwallt yn gonstre dros ei thalcen a'i slipars yn clopian fel stalwyn sir ar deils y gegin. Tymplen o ddynes oedd Glen Lolen, wedi lolian ei ffordd drwy fywyd, ei llygaid gleision yn fflach befriol, a'i hystumiau yn ogleisiol. Fe sbonciai Glenys bob amser fel drudwy cecrus yn blingo sgerbwd cinio Sul.

Brysiodd i'r cwt glo. 'Drat las, dim ond shwrwd, ma'r Defis glo 'ne mor ddigychwyn â'r mul o'dd ganddo fo erstalwm!'

Ofer oedd ceisio mygu'r piffian. Taflodd y shwrwd yn gawod dros y grât, y ffendar a'r Redicut amryliw â'i sbotiau o staeniau coco wyth o'r gloch Glenys.

'Damio'r rhaw 'ma,' gan ddilyn y trywydd o lo mân at ddrws y sbens.

Rhewodd wrth basio'r harmoniym, a llithrodd y rhaw o'i llaw. Yn dringar clymodd ei dwylo am y ffrâm gilt, cyn gwasgu'r darlun yn erbyn ei bron yn ddramatig.

'Emlyn, druan.'

Chwyrlïodd fel dawnsiwr bale ar drosol, baglodd ar draws y rhaw dân a syrthiodd ar ei phen-glin, gyda'r ffrâm yn sownd yn ei llaw. Mewn llais-gwneud tremolo, 'run fath â'r ffôns modern 'ma (er mai yn ddiweddarach y meddyliodd Glenys am y tebygrwydd), llefarodd,

'*O! death where is thy sting*,' cyn suddo i'r llawr, ei phen yn ei phlu, fel yr alarch yn *Swan Lake*. Y naill yn atgof annisgwyl o Miss Fripp yn cymryd Prêrs yn Ysgol Central Avenue ar ôl i Annie Stores farw ar ôl byta mysharwms rong, a'r llall yn ddynwarediad o'r *Bluebird Ballet* yn yr Emp, pan aethon nhw am *night out* yn Form Five. Erstalwm. Ac am eiliad roedd Em hefyd yn perthyn i erstalwm.

Fel y pnawn hwnnw ar ôl yr ysgol pan waeddodd Glenys arno,

'Em Foty, gofyn i dy dad geith 'nhad fenthyg ebill ddeu-dwll ganddo.'

'Wannwyl, be 'di hwnnw?' yn ei ddiniweidrwydd hoffus, a sudd licris bôls yn lliwio ei ddannedd.

'Peth i droi cyfleth adeg Dolig, yr hurtyn.'

'Paid â lolian, llwy bren ma' Mam yn iwsio. Hei, ma' gen i bedair o olwynion, wsti, dwi'n mynd i neud beic sbeshal â gêrs a phethe.'

'Neith o fflio?' wrth wasgu ei chadach poced i'w cheg i fygu pwl o chwerthin. Na, doedd Em ddim cweit mor ddiniwed â hynny. Ond erstalwm oedd hynny.

'Hei, Em, gei di geiniog os byti di lwyed o'r mwstard 'ma,' gan gynnig y llwy ar draws y bwrdd ddiwrnod Te'r Ysgol Sul. Mi lyncodd o.

Ond doedd ganddi 'run geiniog i'w rhoi iddo fo.

Erstalwm oedd hynny hefyd.

Cododd Glenys ar ei thraed ac edrychodd eilwaith ar lun Emlyn yn ei siwt. Cynhesodd ei chalon, 'Sori, Em, rwyt ti'n nabod i'n ddigon da i w'bod sut dwi'n teimlo, hyd yn oed os ydw i'n hurten. Mi fydd yn neis dy ga'l di adre.' Oerodd drosti wrth wrando ar ei geiriau ei hun. Daeth at ei choed. Yn ôl i ganol y fath lanast! Y peth lleia fedrai hi ei wneud oedd tacluso tipyn.

Hyd yn oed os oedd o'n dod adre mewn bocs. Ac mi roedden nhw wedi deud y bydden nhw yno tuag un ar ddeg.

Tase'n mynd i hynny roedd o ddiddordeb parhaol i'w chymdogion sut y gallai Glenys fyw yng nghanol y fath lanast. Ond yn ei ffordd ffwr' â hi, fe wyddai'n union ble i daro llaw ar y llyfr Siwrin, trap llygod bach, amlenni'r Weinidogaeth neu'r Wstyr Sôs y byddai Emlyn yn ei ffustio o'r botel dros bopeth. Wir, yn ei lythyr cyntaf o Bengasi, cwyno 'rodd o nad oedd ene'r un siort o Sôs i'w ga'l yn y rashions, na'r NAAFI na'r *siwci*, neu be bynnag roedden nhw'n galw'r farchnad yn Affrica.

Chwarddodd Glenys yn hiraethus. Ailafaelodd yn y llun. Edrychodd arno o hyd braich fel pe bai am ail-greu wyneb ei ieuenctid. Osgo Emlyn yn ei iwnifform, yn tynnu sylw at yr un streipen a roddai iddo elfen gynnil o awdurdod nad adlewyrchid yn ei wyneb. Wyneb main yn brwydro i rwystro ei ên rhag diflannu i'w goler, mwstas main, a rhaniad main yn gwthio ei wallt arni cyt y tu ôl i'w glustiau. Yn erbyn cefndir artiffisial o dywod Rhyl a chamelod, fe ymddangosai i Glenys fel un yn dioddef o'r frech wen.

'Emlyn druan . . .'

Canwyd cloch y drws ffrynt. 'Brensiach, ma' fo wedi cyrraedd.'

Yn wyllt, pliciodd ei gwallt, taflodd ei ffedog ar y soffa, a cherddodd yn annaturiol o sydêt at y drws. Cyn ei agor rhoes hergwd i bâr o welis gwyrddion o dan y stand ymbarél. Dabiodd ei llygad dde â hances gwyn, ar ôl poeri arno'n slei wrth droi'r Yale.

Agorodd y drws yn araf, fel ag yr oedd yn weddus i'r amgylchiad, a syrthiodd yn ôl ar ei sodlau.

'Helô, Modryb.'

Ar y trothwy safai gŵr ifanc, gwallt cringoch yn cyrlio dros gantel het jyngl, a chlwm o flodau siop yn ei law.

'Malgwyn, y chi,' rhwng syndod a phleser.

'Heddiw clywes i . . . biti . . . *hard luck* . . . 'n ddrwg gen i, Modryb.'

Wrth geisio ysgwyd llaw fe faglodd Malgwyn ar y trothwy.

'Damio'r—Profedigaeth fawr, Modryb Glen.'

'Mynd ddaru o, fel'na,' ac ysgubiad ei braich yn awgrymu i Malgwyn fod Yncl Emlyn wedi esgyn i ryw nefolaidd dir heb sobrwydd angladd. Yn ddifeddwl ymatebodd,

'Dew, safio lot o drafferth, Anti . . . *Direct Deliv* . . . Sori, ddrwg gen i am Yncl Em.'

'Ie, wel, tyrd i mewn i ganol y llanast,' wrth chwipio swp o bapurau a'r gath o gadair i'r carped. 'Cer, Tibsi. Ca'l gwared â hi ddyliwn i, ond mae hi'n cadw llygod bach i lawr. O dŷ'r Murphy 'ne maen nhw'n dwad, dros y ffens. Synnwn i ddim nad ydi o yn un o bethe'r IRA, ac yn ôl y parseli sy'n cyrraedd y tŷ, synnwn i'r un botwm corn nad ydi o'n gneud bomie . . . a phan aeth y gloch, mi ddylies i'n siŵr ma' Emlyn druan o'dd wedi cyrraedd.'

Edrychodd yn hurt arni. 'Be dech chi'n feddwl, Modryb —wedi cyrraedd?'

Llithrodd ei golygon hithau'n fyrbwyll o'r ffrâm gilt i wyneb Maldwyn.

'Tebygrwydd y teulu yntê, Malg. O diar rydw i'n nerfs i gyd—disgwyl 'i lwch o ydw i wsti, 'machgen i, leiciwn i ddim iddo fo landio i ganol y llanast 'ma. Yr armi 'nath ddyn teidi ohono fo, ie, wir,' wrth wneud lle iddi ei hun rhwng bwndel o waith gwnïo a thun o Brasso wedi ei lapio mewn cerpyn glas.

Sbiodd Malgwyn o gwmpas y stafell. Dau drestl o'r capel, a dyna orffwysfa daclus i arch Wil Saer. Ond blwch! Dychmygai ryw fath o helfa drysor pan wawriai diwrnod chwalu'r gweddillion. Glenys yn paldaruo'n nerfus wrth droi bocsys o Ovaltine ac Oxo, Colman a Cadbury. 'Mi ddo i ar 'i draws o toc.'

Gydag ymdrech mygodd Malgwyn ei ffantasi.

'Be 'di'r trefniadau, Modryb?' gan edrych drwy'r ffenestr, heb fod yn siŵr ai hers neu Datapost a ddisgwyliai weld oddi allan.

'Gadael popeth yn nwylo Proffitt Undertakers ddaru mi, a ma'r burgyn yn gneud yn siŵr ei fod o yn byw i fyny i'w enw hefyd.

'Mae fo'n siŵr dduwch o fynnu crocbris, er na fydd ddim ond isio un i gario Em druan i'r tŷ, a'i daro fo ar yr harmoniym. Yn 'i focs bach 'i hun y bydd o yntê, Malgwyn? Cer o'ma, gath,' gan wneud lle iddi ei hun ar gadair. 'Cer i le'r Murphy 'ne i ddal mwy o lygod. Maen nhw'n magu ene fel mysharwms, Malgwyn bach. Cer, Tibsi.'

Neidiodd Glenys o'i chadair a brysiodd i'r cefn.

'Paned, Malgwyn, mi sadith dipyn arnon ni'n dau, ar adeg drist fel hyn. Ie, rhyw flwch bach yntê, Malg, plastig synnwn i ddim, dene ydi popeth y dyddie 'ma. Pan fydd Bob postmon yn dilifro catalog, ne' tase'n mynd i hynny, pan o'dd Em o gwmpas 'i bethe, mi fydde'n prynu bocsiad o bowdwr arbennig i dyfu nionod, garddwr mawr o'dd Em, ar y dresal fan ene y bydde Bob yn taro'r bocs. Ie, wir, tawn i'n clemio, 'run peth ydi'r ddau yn y bôn yntê, Malgwyn bach? Llwch a phowdwr . . . cymryd siwgr, 'machgen i?'

A'r llwy rhwng ei dannedd, dau fwg yn un llaw a bagiad o siwgr yn y llall, dychwelodd i'r gegin.

'Wir, rydw i'n falch dy fod ti wedi galw . . . does dim ishio rhyw ormod o siarad ar amgylchiad fel hyn ddeuda i . . . Mi fu'r g'nidog yma ddoe, wn i ddim i be, ro'dd o wedi pydru arni ddigon yn yr angladd. Un o'r pethe modern ma ydi o—pwlofar Fair Isle a thrywsus melyn, a run fath â'r Esgob Dundee . . .'

'Durham, dech chi'n feddwl, Modryb.'

'Wel, ta waeth, tydi minnaps ddim yn credu yn yr Atgyfodiad, a mi roedd gen i flys mawr gofyn iddo fo ddydd yr angladd, Mistar Huws, fedrwch chi ddim ail-greu bustach o Oxo Ciwb, felly sut y medrwch chi ddisgwyl i'r Brenin Mawr ail-greu dyn hefo rhyw lwyaid o lwch? Comon Sens ydi o.'

Gwrandawodd Malgwyn ar y ddau yn crensian McVitie's Digestive rhwng dyfalu a oedd ei fodryb yn colli arni. A doedd dim taw.

'I feddwl 'i fod o'n chwe throedfedd . . .'

'Robat Huws y Gweinidog?'

'Na, dy ewyrth. *Six foot two* a hanner—ma'r mesur i lawr ar 'i lyfr armi o . . . meddwl y byd o'i streip . . . Emlyn yn medru cario awdurdod, a byth yn gwisgo bresys. Un gair medde fo, a mi glywa i o'r funud yma, llais fel cloch—"*ger off your ass you*"—tase'n weddus deud a fynte'n gorwedd yn 'i focs bach.

'Emlyn, 'ngwas i, peth cynta ddeudodd o pan gyrhaeddodd o'n ôl o'r nialwch 'ne yn Affrica, ddwy flynedd a hanner mewn trywsus byr, "Ma' hanner y Sahara yn fy nghyfansoddiad i wsti, Glen," medde fo yn ddigon di-lol. 'Mi adawodd ei ôl arno, Malgwyn bach.'

Llwy de yn tincial yn ei mwg oedd yr unig sŵn am rai eiliadau. Yn dawedog cododd Glenys, edrychodd yn myw llygaid pwl Emlyn yn ei ffrâm gilt cyn sibrwd yn adroddgar,

'Llwch i'r llwch—ond be sy i'w ddisgwyl ar ôl cario'r holl dywod yn 'i stumog am flynydde. Rhwng y niwcliar a'r nialwch, pa obeth sy i'r un ohonon ni, ddeuda i. Lawer gwaith y clywes i o'n deud wrth fyta'i ginio—dyn stwns a phorc oedd Emlyn—hanner llond tun bwyd o bwdin reis gan y cwc yn Alamên, a'r hanner arall yn drwch o dywod cyn cyrraedd y trenshes . . . dim dewis ond 'i gymysgu, a'i fyta fo. Ma'r hen Ambrosia 'ma'n ddigon diflas ond . . .'

'Trenshes yn y nialwch, Modryb? Hefo'r holl dywod yn syrthio . . .'

'O! roedd o'n ecspyrt. Doedd o'n Lance Corporal ac wedi ca'l digon o brofiad yn turio ffuret o'r tylle pan oedd o'n hogyn? Dyffeia i o i ddangos i'r Jermans, y tacle.'

Teimlai Malgwyn fel un wedi ei daflu i drobwll y Felin. Neb yn clywed ei alwad am help. Yn ysgafndroed llithrodd Glenys at y seidbord, ac o un o'r cypyrddau tynnodd allan gap pig a bathodyn y Pioneer Corps arno.

'Mi elli di fod yn falch o'i roi am dy ben, 'ngwas i,' wrth ei osod ar gorun Malgwyn, 'ond fel Joio 'rhen ganeri fu'n y cawell 'cw am ddeng mlynedd, ma'r ddau wedi peidio â chanu.'

Chwiliodd Malgwyn y cawell yn ofer am waredigaeth.

'Ti'n cofio fel y bydde Joio yn canu 'i galon am flynydde . . . wrth gwrs roedd Emlyn yn 'u bridio nhw—Yorkshires. Mi enillodd lawer gwaith. Ac un noson, nos Sadwrn cyn Ffair Borth—nage, y nos Wener cyn y nos Sadwrn—fel tase hi ddoe, roedd Emlyn yn llnau y caets, Joio yn bwrw iddi heb affliw o rybudd, mi syrthiodd oddi ar 'i glwyd. Ro'dd hi'n amen arno fo.'

'Yncl yn . . .'

'Nage'r caneri. A dyma Emlyn yn troi ata i, di-lol, ac yn deud fel y galle fo, yn blwmp ac yn blaen er bod o'n stryglo i arfer hefo'i ddannedd gosod newydd, "Fel'na'n union y bysen inne'n leicio mynd—strêt oddi ar y glwyd, dim smic, a cremashion i orffen pethe".'

Yn gyflym, neidiodd Malgwyn ar drywydd newydd.

'Be ddigwyddodd, Modryb, wedi bod yn cwyno? Neithiwr do's i adre o'r *oilrig*, neu mi . . .'

'Job berig. Llawer o law arnyn nhw d'wed? Cyflog mawr. Cyflog bach fu hi ar Emlyn 'rioed. Nid un i fflownsio 'i dalent o'dd Emlyn. Dyn Tesco oedd o. Fo oedd yn gyfrifol am gadw'r trolis mewn trefn.'

Sylwodd Malgwyn mai ymdrech i guddio ei hiraeth oedd y sgwrsio chwit chwat. Rhedodd ei bysedd drwy ei gwallt yn fyrbwyll.

'Jimmy Tarbuck, rydw i'n rhoi'r bai arno fo. Sôn am dipyn o wyliau yr oedden ni, Malgwyn. Ma' rhywun yn blino mynd at y teulu flwyddyn ar ôl blwyddyn, a nhwthe'n blino'n gweld ni'n dŵad hefo'r hen fagie brown. A syniad fy chwaer am holide go iawn oedd cacen radell i de bob pnawn—hen ffasiwn iawn. "Rydw i wedi glân laru ar y bwyd ceffyl 'ma bob holide", dyna'n union eirie Emlyn druan, rhyw ddwy flynedd yn ôl.'

' "Wel, mi driwn ni Cheltenham 'te," medde fi, mi fuo Miss Lamb, Sylhet Villa—roedd 'i thaid hi'n genhadwr erstalwm—yno ll . . .'

'Yn Sylhet?'

'Na, yn Cheltenham. A fase hi ddim yn mynd i rywle, rywle. Digonedd o siopau sgidie yno, medde hi. Ro'dd hi'n dangos par o swêd . . .'

'Jimmy Tarbuck, ddeutsoch . . .'

'Ie, deud yr oeddwn i fod Emlyn wrth 'i fodd yn gwylio Jimmy ar y bocs a phan ddarllenodd o fod Jimmy yn y Grand yn Bournemouth dros yr haf, doedd byw na marw nad Bournemouth oedd hi i fod.'

'Digon o adloniant yno. Hefo'r car aethoch chi?'

'Na, coets newydd *Hamdden Hefo Harri*—enw gwirion yntê—toiled yn y goets a choffi cwpan bapur. Jimmy yn Scowser, a mi fuo Emlyn yn gweithio yn Lerpwl ar ôl y rhyfel wyddoch chi—ffatri *lolly ices*. Ond fel y bydde Emlyn druan yn cyfadde, mi fytodd gymaint ohonyn nhw mi gafodd oerfel ar 'i stumog, a mi ddoth gartre. Hiraeth dwi'n meddwl.'

'Teg edrych . . .'

'Felly Bournemouth fuo hi. Aros yn y Sea View Hotel—lle lyfli. Ychydig oeddwn i'n feddwl wrth bacio ei siwt orau o—*double breasted* o Fosters—na wisgai o mohoni, sandalau brown . . .'

‘Ei galon o oedd y rheswm, Modryb?’ yn teimlo fel un yn ceisio gwthio drwy wrych. Am rai eiliadau collodd rediad sgwrs Glenys wrth edrych o gwmpas a gweld tebyg i wrych wedi tyfu drwyddo ar y gegin.

‘Cinio am hanner wedi chwech er mwyn i ni gael mynd i’r Grand erbyn wyth, nage, ’rhoswch, chwarter i wyth. A’r peth ola ddeudes i wrtho fo, tawn i’n marw, Malgwyn oedd, “Cerwch i newid y trywsus ene cyn cinio. Ma’ ene sglein go arw ar y tin,” y geiriau ola fuo rhyngom ni.’

Yr oedd y distawrwydd mor annisgwyl â’r geiriau olaf.

‘Mi aeth drwodd i’r bathrwm,’ gwyliodd Malgwyn ei haeliau’n syrthio’n araf, ‘a mi a’th fel ’na.’

‘Fel ’na,’ eilwaith, wrth fynd drwy’r mosiwn o ollwng dwsin o wyau yn ddamweiniol yn siop Sainsbury. Meimiodd yr eildro.

‘Sioc ofnadwy, Modryb.’

‘Ches i ddim cinio’r noson honno. A mi fuo pawb mor ffeind. Ei gario fo ar y gwely, anfon am y doctor . . . yn ’i drôns mor bell o gartre. Roedd o wedi cymryd at y *thermal underwear* yn arw, ac fel y bydde Emlyn druan mor hoff o ddeud, ar ôl pedair blynedd yn y Sahara, tydi dyn byth run fath, hirlwm neu hindda.’

I roi cyfle iddynt gymryd i mewn y gosodiad dwys, ail-drefnodd y clustogau ar y cadeiriau. Pletiodd ei gwefusau. Oddi allan clywid ceiliog ffesant yn cyfarch y fro. Sbiodd Glenys ar ei horiawr cyn symud at y ffenestr.

‘Mae o ar ei hôl hi,’ meddai mewn llais cwynfannus un wedi blino aros am fws i’r dref ar ddiwrnod oer. Bellach, amheuai Malgwyn a ddylai fod wedi galw. Ond wrth sylwi bod Glenys yn ymlacio, newidiodd ei feddwl. Bron na synhwyrai fod Glenys yn mwynhau ei hun. Cael pleser o ail-fyw digwyddiad na ddaw i ran pawb o dan y fath amgylchiadau. Antur, hwyrach. Brodio cynnil i wneud i fyny am flynyddoedd o rygnu diantur yn ail-fyw rhyfel Emlyn a gwrando ar ei farn mympwyol am bopeth o dan haul. A hi fyddai'r feistres wrth ei dderbyn yn ôl.

'Un anniben fu'r Proffitt erioed. Enw da i'r busnes yntê?' Ailafaelodd yn ei dweud.

'Fel y deudes i wrth y meddyg—cyn ddued â'r frân oedd o—fel roedd o'n archwilio Emlyn, treio esbonio i'w helpu o, fel ma' rhywun. "*He always wanted to fall off his perch suddenly, doctor*," medde fi. "*Used to breed canaries you know*." Wn i ddim oedd y peth yn g'neud synnwyr iddo fo.'

Ochneidiodd Glenys. Roedd Malgwyn yn anesmwytho. Mwy o ryddhad na thristwch yn ei hochenaid. Ceisiai ddianc ohono drwy ruthr diamcan ei phrysurdeb ffôl. Modryb druan.

'Tydw i'n pydru arni . . . gymeri di sieri?' Ar flaenau ei thraed aeth i'r cefn a dychwelodd â dwy baned lugoer yn ei dwylo.

'Be wnawn i? Moedro fy hun. Pawb mor garedig, ond y fi oedd i benderfynu. Aros am ambiwlans, er ei bod hi'n rhy hwyr. Wyddost ti be, tase fo gartre, mi faswn i wedi rhoi'r medalau ar 'i frest o—*war medals*, rhubanau del—fase hynny wedi'i blesio fo. Llawer y soniodd o am Monty. Fel roedd lwc, roedd gen i Kleenex wrth law i sychu i wyneb bach o—fel y galchen. Ambiwlans yn dod. "*Will you take off his thermals before you* . . ." medde fi. Roedden nhw'n newydd sbon, a doedd mo'u hangen nhw arno fo. Cyndyn oedden nhw. A wir mi rhois i nhw i Jac 'y nghefnder ar ôl i mi ddod adre.'

Yr oedd Malgwyn yn crebachu ei hun rhag chwerthin. Ffars noeth. Yr oedd yntau yn mwynhau ei hun.

'Sut i ddod â fo'n ôl oedd y broblem nesa,' gan lapio ei ffrog dros ei phennau gliniau. 'Roedd o'n mynd i gostio mwy na'r gwyliau, a fedrwn i ddim yn hawdd ddod ag o ar y bws, er 'mod i'n nabod Iori'r dreifar. Cofia di, Malgwyn, ar y coestsys modern 'ma, mae ene ddigonedd o le yn y *compartment* bagiau ar y bysys newydd 'ma i gario arch. Ond faswn i ddim yn gyfforddus yn fy sedd—nymbar 18 a 19 oedd rhai ni—a fynte, Emlyn druan, yn gorwedd oddi tana i.'

Eiliad pellach o ymryddhau myfyriol.

'Tair wythnos i ddoe—nage, roedd hi'n ffair ddydd Mawrth—i fory. Fedre Proffitt ddim dod y diwrnod hwnnw i gwblhau'r trefniadau. Ma' genno fo fusnes *livestock carrier* hefyd.'

Nodiodd Malgwyn ei ben fel un mewn perlewyg.

'Wir, Malgwyn, rwyt ti wedi bod yn gefn mawr i mi. Roeddwn i'n meddwl amdanat ti, wrth rannu dillad Emlyn.'

Edrychodd ar Malgwyn o'i ben i'w draed wrth ei wisgo yn nillad Emlyn. Neidiodd aeliau Malgwyn. O fewn tair wythnos!

'Wrth gwrs, rwyt ti'n fyrrach nag o. Elwyn Parc-yr-Ewig gafodd 'i siwt o—ffitio fel maneg. Preis dyn llaeth gafodd 'i ddillad isa fo—meddyliwch mor werthfawr fydd y *thermals* iddo fo'n y gaea. Rhyw ddaioni yn dod o bopeth, ddeuda i, Malgwyn.'

Hoeliodd ei llygaid yn synfyfyriol arno.

'Sgidie—*Nines* ydech chi, os . . .'

'Na, *sevens*, Modryb,' gyda rhyddhad.

'Hen dro, mae ene bâr o sgidie cryfion heb fawr o wisgo arnyn nhw—*nines*—fase'n falch gan Emlyn tase chi wedi 'u cael nhw. Biti garw. Mi geith rhywun fargen yn siop Oxfam.'

I lacio'r cyffio yn ei goesau a'r tensiwn yn ei wrando, cerddodd Malgwyn at y ffenestr. Rhanasant gynhesrwydd cyfeillgar.

'Doedd byw hefo Emlyn ddim yn cyflawni fy nyheadau, Malgwyn. Mi fydd gen i hiraeth, ond mi fydd gen i gyfle hefyd. Rhyngom ni'n dau.'

'Rydw i'n deall, Modryb, ma'r brwdfrydedd ganddoch chi.'

'Rydw i'n chwe deg pump.'

'Ifanc!' Gwenodd y ddau. 'Be wnewch chi â'r llwch?'

'Eu cadw am blwc, o barch. Lle rhodda i nhw, deudwch?'

'Wrth ochr y llun ar y piano.'

'Ie, a'u chwalu wedyn—ond ymhle? Yn y wlad oedd ei ddymuniad.'

'Naturiol. A pham lai nag ar ei dir ei hun—y lawnt a'r gwely rhosod o'n blaenau ni?'

'Wel, ie, ma'r rhosod 'cw yn edrych ddigon gwantan. Tail y Geufron i Em bob blwyddyn, stwff da. Cofio fo'n deud iddo fo drio tyfu tatws yn Tobruk hefo tail camel, a blas camel oedd arnyn nhw hefyd medde fo.'

'Modryb bach, cadwch eich meddwl ar y trefniadau, dech chi'n ecseitio gormod arnoch.'

'Falle wir, 'machgen i, y fi sy i benderfynu yntê, 'ngwas i—ond y fi,' gyda phendantrwydd tawel. Heb edrych, fe wyddai Malgwyn ei bod hi yn sgwario ei hysgwyddau.

'Mi fydde ar garreg y drws, fel petae, 'nbydde Modryb?' mewn ymdrech i gwblhau'r trefniadau.

'Hen ddigon agos,' ei llais wedi oeri'n sydyn. 'O dan fy nhraed i buo fo ar hyd y bedlam, hefo'i Alamên a'i stumog a'r trolis yn Tesco. Ie, mi gladdwn ni'r llwch yn y blwch, Malgwyn, rydw i wedi diseidio, o dan y goeden 'fale 'cw.'

'Chwalu'r llwch ydi'r arferiad, yntê?'

'Yr unig broblem ydi'r burgyn Murphy drws nesa, hefo'i . . .'

'Sut yn y byd mae wnelo fo . . .'

'Wel 'i lygod o yntê, Malgwyn, tyllu i bob cyfeiriad. Mi ddyliwn i ordro bocs plastig gan y Proffitt 'ne. Os cladda i o mewn bocs carbord, mi fydd y llygod wedi cnoi 'u ffordd drwyddo mewn chwinciad a sut fath o heddwch fase hynny i Emlyn druan?'

'Llwch i'r llwch o leia, Modryb.'

'Hy! Ynte llwch i'r llygod?'

Fe wyddai'r naill fel y llall eu bod yn bustachu i gadw wyneb syth.